KB075708

시비리는..

러시아어로는 Сибирь(시비리)라고 한다. 어원은 튀르크 몽골계 국가인 시비르(Sibir) 칸국. 시비르는 시베리아 타타르어로 '잠자는 땅'을 의미한다고 한다. 시비르 칸국이 수립되기 이전 이 지방은 항상 어둠에 둘러싸인 미지의 지방이라는 의미에서 암흑의 지방이라고 불렸다. 북한의 문화어는 러시아어의 영향을 받아 '씨비리'라고 표기한다. 우연의 일치로 러시아어로 '북쪽(северу)'을 뜻하는 단어의 발음과 비슷하다. 참고로 철자는 Север, 발음은 철자를 따라서 한국어로 옮기면 세베르에 가깝다. 반면 영어권에서는 '사이비어리어 혹은 사이베리어(saibíəriə)'라고 발음한다. 한편 여담이지만, 선비족이나 실위족의 이름의 발음에서 유래되었다는 가설도 있으나, 이 설보다는 투르크계 시비르족, 시비르 칸국에서 유래되었다는 설이 더 유력하다.

출처 : 네이버사전

3

잠자는 땅

시베리

동물을 사랑하는 분에게
자연을 사랑하는 분에게
바른 세상을 꿈꾸는 분에게

1화 – 추적

　지금부터 제 동생 이야기를 하려고 합니다. 태니는 수억 년이 넘는 우리 숲의 역사에서 가장 영리하고 용기 있는 녀석이었답니다. 제가 기억하는 한, 녀석은 이 세상에서 가장 멋진 동물일 거예요. 이제 은빛 여우 태니의 이야기를 시작해 볼까요? 때는 1612년이었어요. 벌써 사백 년이나 지난 옛날 옛적 이야기가 되어버렸지만 저에게는 어제 일처럼 생생하게 기억납니다.

*

　남자의 팔은 붕대로 동여 맨 상태다. 빨간 피가 물들어 원래 어떤 색이었는지 알 수 없고 흙과 나뭇잎이 덕지덕지 붙어 상처가 썩을 것처럼 더럽다. 꽤 깊은 상처이지만 남자의 표정엔 고통스러움을 전혀 찾아볼 수 없다. 눈빛은 비장함으로 가득하다. 며칠째 씻지 못한 얼굴엔 거뭇거뭇한 때가 잔뜩 묻어 있다. 덥수룩한 수염은 붕대만큼이나 지저분하다. 수염 사이로 보이는 입술은 바짝 말라 터져 군데군데 핏물이 배어 나왔다. 붕대를 맨 손에는 멋진 칼 한 자루가 쥐어져 있다. 다른 손은 금 발머리에 흰 피부를 가진 여자의 손을 쥐고 있다. 여자의 다른 손엔 열 살 정도 되어 보이는 남자아이가 달려있다. 여자 역시 행색이 남루하 다. 아이는 걷기조차 힘들어 보인다. 여자는 체력이 바닥났지만 가까스 로 버티고 있었고 아이는 끌려가듯 걷고 있다. 그들은 지금 누군가에게 쫓기고 있음이 분명해 보인다. 아이는 잠시라도 쉬어 갔으면 하는 마음 이 간절했지만 생각이 입으로 전해 나오지 않았다. 절벽 사이로 난 벼 랑길 아래 깊은 골짜기는 누구에게도 잡생각을 할 여유를 주지 않았다.

"잠깐 쉬어 가자. 여기라면 조금 안전하게 쉴 수 있을 것 같아."

남자가 걸음을 멈추며 말했다. 그들이 멈춰 선 곳엔 입구가 제법 넓 은 동굴이 시커먼 입을 벌리고 있었다. 아이는 쉴 수 있다는 생각에 안 도의 한숨을 쉬었다. 여자는 동굴 앞에 무너지듯 앉았다.

"여기 잘 지키고 있어. 나는 땔감 구해올 테니."

남자는 그런 여자와 아이를 안타까운 시선으로 보며 말했다.

해가 져서 어둑어둑해져 금세라도 어둠이 밀려들 상황이다. 그렇지 않아도 몸을 숨길 곳이 없어 걱정이었는 차에 동굴은 축복이 아닐 수 없었다. 남자가 어둠 속으로 사라지자 여자와 아이에겐 두려움이 몰려 왔다. 겁에 질린 아이는 여자의 품에 안겨 어둠 속에 시선을 던졌다. 혹 시 모를 침입자를 감시하려는 것이다. 여자와 아이는 극도의 긴장과 공 포로 몸을 떨었다. 이제 막 겨울을 앞두고 있는 계절이다. 어둠이 깊을 수록 기온이 빠른 속도로 내려갔다. 게다가 땀에 젖은 옷이 체온을 떨어뜨리는 데 한몫하고 있다.

"무섭지 않지?"

여자가 차가운 볼을 쓰다듬으며 말했다.

"응! 엄마."

아이는 엄마의 손에 볼을 비볐다.

"배고프지는 않아?"

"난 괜찮아. 나보다 엄마가 더 배고프잖아. 남은 빵도 나 혼자만 먹었는 걸."

비록 말은 그렇게 하고 있었지만 배가 고픈 건 사실이었다.

"엄마는 괜찮아. 우리 한스는 착하고 용감하구나. 역시 우리 아들이야."

엄마는 한스에게 미소를 지어 주었다.

엄마 품에 안겨 있었음에도 불구하고 한스는 이빨을 따닥 거리며 몸을 떨기 시작했다. 그러자 엄마는 입고 있던 외투를 벗어 한스의 가슴 앞쪽부터 감싸 안았다.

"엄마도 춥잖아. 나도 이 정도 추위는 충분히 견딜 수 있어. 엄마가 추운 건 나도 싫어."

한스는 추위에 떨고 있는 엄마가 더 걱정되었다. 하지만 엄마는 미소만 지어 보였다.

그들이 추위와 두려움에 못 이겨 갈 즈음되자 아빠가 시야에 들어왔다. 등에 나무 한 짐을 메고 힘겹게 걸어오고 있었다. 한스의 안도 어린 한숨 소리가 들렸다. 엄마 역시 한숨을 내쉬었지만 매우 조심스러웠다. 그녀 역시 남편이 자리를 떠난 후 불안했지만 한스에게 만큼은 그런 느낌을 주기 싫었다.

엄마는 아빠의 짐을 받아 내리고 모닥불을 피울 준비를 했다. 한스는 뭐라도 돕고 싶었지만 딱히 할 수 있는 게 없어서 마음만 급했다. 아빠의 팔을 동여맨 붕대는 피가 흥건해 보였다. 상처가 예사롭지 않아 보였다. 한스는 가슴이 아팠지만 지금으로선 아무것도 할 수 있는 일이 없다는 걸 알고 있었다. 어른이 아닌 게 안타까웠다.

"오늘 밤을 버티려면 이걸로는 턱없이 부족할 것 같아. 일단 불을 피우고 몸을 좀 녹여. 그런데 혹시 먹을 게 좀 남았을까?"

아빠의 질문에 엄마는 그저 대답 없이 고개만 흔들 뿐이었다. 낮에 한스가 먹은 육포와 빵 한 조각이 그들에게 마지막 식량이었던 것이다. 대신 절벽 지대를 들어서기 전에 살얼음이 낀 시냇물을 담아온 것이 있었다. 오늘 밤엔 차가운 물로 배를 채워야 할 상황이다.

"그럼 나는 나무를 좀 더 구하러 다녀올게."

아빠는 다시 자리에서 일어났다.

"가까운 데는 나무가 없어요? 한스가~"

엄마의 표정에는 걱정스러운 눈빛이 가득 담겨 있었다.

"좀 멀기는 한데 위험해 보이지는 않으니까 걱정 말고 있어. 불을 때고 있으면 늑대가 우릴 찾더라도 가까이 다가오지는 못할 거야. 이왕이면 동굴 입구에다 불을 피우는 게 좋을 것 같아. 연기가 조금 들어오더라도 안전한 게 더 낫겠지. 한스 춥지 않게 잘해 주고~ 한스는 엄마 잘 지켜줘야 돼! 알겠지? 넌 용감한 남자니까 엄마를 지켜야 돼!"

아빠는 엄마와 한스를 번갈아 보았다.

"네! 아빠. 걱정하지 마세요! 엄마는 제가 지킬 거예요!"

한스가 주먹을 쥐어 보였다. 그리곤 엄마를 돌아보며 한마디 했다.

"엄마! 걱정하지 마! 한스가 지켜줄 거야. 난 용감한 우리 아빠 아들이니까!"

"그래! 아빠는 한스만 믿고 땔감 구해가지고 올게~"

아빠는 한스를 다시 뒤돌아 보고는 발걸음을 옮겼다. 이제는 완전히 검은 어둠이 몰려와 있었다. 절반을 뚝 잘라놓은 듯한 달이 주변의 별들과 함께 밤하늘을 밝히고 있었다. 아빠는 달빛을 조명 삼아 작은 숲으로 향했다. 으스스한 게 당장이라도 뭔가 튀어나올 것만 같았다. 엄마는 주변에 굴러다니던 마른 나뭇가지들을 주워 모았다. 그리고는 나무를 비벼 한참 만에 불씨를 만들었다. 불씨가 생기자 모닥불을 크게 피워내기까지는 그리 오래 걸리지 않았다. 불꽃이 춤을 추자 불꽃이 만들어 낸 그림자는 절벽과 동굴 안에서도 함께 춤을 추었다. 마른나무 타는 소리가 따닥 거리며 불규칙하게 이어졌다. 회색 연기가 가끔씩 달빛을 가려버렸다. 오늘 밤, 별들이 더욱 밝다. 북극성 근처에 머물고 있는 북두칠성과 카시오페아 자리가 한스네 가족을 지켜주는 것만 같다. 한스는 엄마와 함께 땀에 젖은 옷가지와 몸을 말렸다. 따스함은 불안한 마음마저 떨구어 주는 것만 같았다. 그런데 이상하게 한스는 등 뒤에서 알 수 없는 시선이 느껴졌다. 끝을 알 수 없는 동굴 안에서 누군가가 자신을 지켜보고 있는 것 같았다. 하지만 차마 뒤를 쳐다볼 용기가 나지 않았다. 한스는 엄마를 지켜 주기로 아빠와 약속했지만 두려움을 극복하기 어려웠다.

"엄마! 우리 뒤에 있는 동굴 안에 누군가 있는 게 아닐까? 이상하게 ~ 누가 나를 쳐다보는 것 같아."

한스는 참지 못하고 입을 열었다.

"설마~ 만약 누가 있었다면 우리가 여기 왔을 때 벌써 나와봤거나 했을 거야. 걱정하지 않아도 돼."

엄마는 한스를 다독였다. 엄마는 장작 하나를 집어 들더니 동굴 안으로 멀리 던져 넣었다. 달빛 아래 그들이 자리 잡은 곳의 어둠보다 훨씬 더 어두웠던 동굴 속이 환하게 드러났다. 동굴 속은 의외로 넓었다. 이글거리는 불빛은 동굴 벽면의 돌들을 비췄다. 반짝반짝 빛이 났다. 동굴 속은 모닥불의 흐느적거리는 춤사위로 가득 찼다. 황홀한 느낌이 들었다.

"이것 봐! 별 거 없지? 오히려 예쁘기만 한 걸~"

"정말 그렇네~ 이따가 아빠 돌아오시면 동굴 안쪽 구경이라도 해 보자고 할까?"

한스는 겁이 났지만 아빠와 함께 있으면 무서울 것이 없을 것 같았다. 시간이 흘러 동굴 속을 밝히던 장작은 점차 힘을 잃어갔다. 동굴 속의 빛이 죽어가며 다시 어둠이 짙어졌다.

잠시 후 한스의 눈에 아빠의 모습이 보였다. 아빠의 등에는 먼저 가져왔던 것보다 많은 양의 땔감이 있었다. 발걸음이 매우 무거워 보였다. 한스는 엄마의 손을 잡고 아빠에게 달려갔다. 아빠의 팔에는 아까보다 피가 흥건했다. 얼마나 힘들고 고통스러웠는지 아빠의 얼굴은 하얗게 질려 있었다. 게다가 거친 숨을 몰아 쉬고 있었다. 당장이라도 쓰러질 것만 같았다. 한스와 엄마는 아빠의 등에 있는 땔감을 나눠 들고 모닥불 앞으로 돌아왔다.

"여보~ 고생했어요. 도와주지도 못해서 미안해요."

엄마는 아빠의 얼굴을 소매로 닦아주고는 피에 젖은 붕대를 풀었다. 한 뼘 넘게 찢어진 상처는 손가락 한 마디가 들어갈 정도로 깊었다. 상처에서 빨간 피가 스멀스멀 솟아났다. 벌써 이틀째 숲 속을 헤치며 걸어왔으니 상처가 아물 리가 없었다.

"팔은 어때요? 괜찮아요?"

엄마는 아빠의 팔을 애처로운 눈빛으로 보았다.

"응! 괜찮아. 상처는 언젠가 낫게 돼 있어. 걱정하지 않아도 돼!"

아빠는 애써 힘을 주어 말했다. 하지만 한스와 엄마는 마음을 놓을 수가 없었다. 엄마는 물로 아빠의 팔을 씻어내고 옷을 찢어 팔을 동여맸다.

"피곤한 텐데~ 잠시 눈이라도 좀 붙여요. 내가 불을 살피고 있을게요."

엄마는 아빠의 체력이 거의 다 떨어졌다는 걸 알고 있었다. 피도 많이 흘린 상태에 하루 종일 뛰다시피 여기까지 와서 쉬지도 못하고 땔감까지 구해 왔으니 피곤이 극도에 달했을 것이 분명했다. 아빠는 엄마와 한스를 푹 쉬게 해 주고 싶은 마음이 굴뚝같았지만 이번엔 엄마의 제안을 따르기로 했다. 너무 고단하기도 했지만 당장엔 잠시라도 쉬면 힘이 보충될 것이기 때문이다.

"그럼 잠시 눈 좀 붙일게. 새벽에는 교대해 줄 테니까 내 생각한다고 밤새 버티지 말고 꼭 깨워야 돼. 누구라도 체력이 떨어지면 마을까지 돌아갈 수 없어. 명심해!"

아빠는 엄마의 지나친 배려가 오히려 일을 그르치게 될지도 모른다는 생각이 들어 당부하고 또 당부했다.

"아빠. 나도 할 수 있어요. 저도 도울게요."

한스가 자신 있게 말했다. 피곤했지만 눈빛만은 초롱초롱했다. 겨우 아홉 살 밖에 되지 않은 한스는 또래 아이들보다 덩치도 크고 뼈도 굵다. 게다가 지난달에는 아빠에게 활 쏘는 법도 배우고 도끼로 장작을 패는 기술도 배웠다. 아직 잘하지는 못했지만 칼 쓰는 방법도 배우고 총도 두 번이나 쏴 봤다. 한스는 늑대가 위협하면 엄마 아빠를 지켜 줄 자신이 있었다.

"우리 한스가 벌써 다 컸구나. 아직 어린아이인 줄 알았는데. 녀석 ~ 멋진 걸?"

"그럼요~ 내가 누구 아들인데~ 시베리아 최고의 사냥꾼 막스의 아들, 한스예요!"

아빠는 그런 한스가 대견했다. 아빠는 금색 머리칼을 쓰다듬었다. 올이 얇고 부드러웠다. 한스는 엄마를 꼭 빼닮아 여자아이 같으면서도 아빠의 커다란 체구를 이어받았다. 어른이 되면 정말 멋진 남자가 될 예쁘고 귀여운 녀석이다. 아빠는 울퉁불퉁한 바닥을 다듬고 나서야 새우잠을 청했다. 바닥은 차가웠지만 모닥불 덕분에 제법 따뜻하게 잠들 수 있었다.

"이제 한스도 눈을 좀 붙여야 돼. 얼른 누워~"

"아냐! 엄마 옆에서 엄마를 지켜주고 싶어. 난 아빠처럼 멋진 남자가 될 거야!"

한스의 목소리는 자신감이 넘쳤다. 엄마는 든든함에 기분이 좋았다. 엄마는 한스를 가슴에 꼭 끌어안았다. 시선은 모닥불 너머를 주시했다. 혹시 모를 침입자를 감시하는 것이다. 한스가 두려워할 것이 걱정되어 알려주지 않았지만 이틀 전 가족을 공격한 늑대 무리가 지금까지 그들을 추적하고 있었다. 지금은 꽤 가깝다는 것을 알고 있었다. 이미 주위를 맴돌고 있음이 분명했다.

아빠와 엄마는 이틀 전 한스에게 가벼운 사냥을 체험시켜 주기 위해 마을을 떠나 강을 건너왔다. 그런데 하필 배가 물속에 있던 바위에 걸려 뒤집어졌고 물줄기에 떠내려가는 한스를 구하기 위해 배를 포기해야만 했다. 급류에 밀려 떠내려 가는 배를 끌어올 방법은 없었다. 이동수단을 잃은 것이다. 문제는 마을에서 제법 멀리 떨어진 지역인 데다 이미 큰 강을 건넌 상황이었다. 강을 건널 방법은 없었고 결국 강을 크게 돌아 걸어서 가야 했다. 마을까지 돌아가려면 며칠은 걸릴 것이라고 생각했다. 그들은 침구는 물론이고 식량과 무기 등 중요한 것들은 거의 모두 잃었다. 기껏 주머니에 있던 간단한 소지품과 엄마의 조그만 가방이 전부였다. 마을로 돌아가는 길에 먹을 것을 구하러 숲 속으로 들어갔던 아빠는 늑대와 마주치고 말았다. 피할 틈도 없이 아빠는 늑대에게 왼팔을 물렸고 늑대는 아빠의 칼에 맞아 그 자리에서 죽었다. 아빠는 죽은 늑대를 식량으로 쓰려했지만 이내 늑대 무리들이 달려들었다. 늑대들은 죽은 늑대를 허겁지겁 뜯어먹기 시작했다. 그 덕에 늑대 무리들에게서 도망칠 수 있었던 것이다. 일반적으로 늑대들은 서로 잡아먹는 법이 없었다. 꽤 굶주린 것이 분명했다. 한스 가족은 급히 도망쳤다. 죽은 늑대를 다 먹어 치운 늑대 무리는 한스네 가족을 추적했다. 아빠의 피 냄새를 맡은 것이다. 한스에게는 팔의 상처를 나무에 긁혀서 다친 거라고 말했다. 한스가 겁을 먹는 게 싫었던 것이다.

한스는 동굴 안에서 누군가 지켜보고 있다는 느낌을 버릴 수가 없었다. 하는 수 없이 엄마에게 다시 물었다. 한스는 용기 있는 남자가 되고 싶었지만 엄마에게 말하지 않고는 도저히 참아낼 수 없을 것 같았다.

"엄마! 뒤에서 누가 자꾸만 쳐다보고 있는 것 같아. 사실 조금 무서워~"

한스의 말에 엄마 역시 몸이 오싹해지는 기분이 들었다. 늑대가 동굴을 통해 뒤쪽에서 덮치는 것이 아닐까 하는 생각을 하게 된 것이다. 엄마는 잘 타고 있는 나무토막 한 개를 골라 동굴 깊숙한 곳까지 던졌다. 나무토막은 아까 던졌던 것보다 멀리 날아갔다.

"자! 봤지? 역시 아무것도 없어. 이제 그만 자는 게 좋겠어. 엄마가 한스를 지켜줄 거니까. 그리고 새벽에는 아빠가 한스하고 엄마를 지켜줄 거야."

"응~ 꼭 안아줘. 그럼 잘 수 있을 것 같아."

"이리 와~ 우리 아들~"

엄마는 고요하고 적막한 밤의 불안한 마음이 가득했지만 한스를 꼭 안으니 마음이 편해졌다. 엄마는 어떤 일이 있어도 이 작고 착한 아이를 지켜주겠다며 다짐했다. 한스는 잠을 이기려고 무거운 눈꺼풀과 안간힘을 다해 싸웠다. 하지만 기껏 몇 분도 채 버티지 못하고 새근새근 잠이 들었다. 어린 아기처럼 편안해 보인다. 숨을 들이 내쉴 때마다 한스의 가슴이 조금씩 오르내렸다. 가끔씩 얼굴을 찡그리기도 했다. 무엇이 그렇게 즐거운지 피식 웃기도 했다. 한스는 엄마의 따스한 가슴속으로 자그만 손을 찔러 넣었다. 엄마는 한스의 손이 따스한 가슴을 쥘 수 있도록 도와주었다. 한스는 엄마의 가슴을 조몰락거렸다. 그새 동굴 안쪽에서 느껴지던 불안함을 모두 잊은 채 깊은 꿈나라 속으로 여행을 떠난 것 같았다. 입맛을 다시는 한스는 맛있는 음식을 배불리 먹는 꿈을 꾸고 있는지도 모른다.

2화 - 늑대

"모두 일어나! 어서!"

아빠가 다급하게 소리쳤다.

"한스! 어서 일어나! 빨리!"

아빠의 고함소리가 동굴 속 끝까지 메아리쳤다. 한스는 꿈결인가 싶었지만 아빠의 다급한 목소리에서 현실성이 느껴지기 시작했다. 결코 꿈결에 들었던 것이 아니었다. 눈을 비빌 틈도 없이 상황 파악이 된 한스의 눈에 오른손에 하나밖에 없는 칼을 쥐고 있는 아빠의 모습이 보였다. 엄마는 기다란 나무토막을 들고 어쩔 줄 모르는 자세로 엉거주춤 서 있었다. 모닥불에 비친 주변의 모습은 그야말로 공포스럽기 그지없었다. 몇 마리인지 셀 수도 없는 늑대들이 송곳 같은 누런 이빨을 드러낸 채 으르렁거리고 있었다. 몇 마리나 되는지 셀 수도 없다. 앞발을 쭉 편 채 으르렁거리는 늑대의 입에서는 하얀 입김이 거칠게 뿜어져 나왔다. 이빨 사이로는 거품 섞인 허연 침이 뚝뚝 떨어졌다. 한스의 눈에 늑대의 주름진 입이 확대한 듯 자세하게 보였다. 한스는 경악을 금치 못했다. 생전 처음 느껴보는 공포가 온몸을 휘감아 버린 것이다.

"엄마! 무서워!"

한스는 엄마의 허리를 부둥켜안고 엄마의 다리춤에 바짝 붙었다.

"한스! 모닥불 안 꺼지게 계속 불을 살려야 해. 한 손에는 불이 붙은 나무를 하나 들고 있어!"

아빠는 주변의 늑대들을 훑어보며 말했다.

"알았어요!"

한스는 아빠가 시킨 대로 모닥불 속에 남아 있는 나무들을 던져 넣었다. 그리고는 모닥불 속에서 가장 길고 불이 잘 붙은 나무토막을 찾아 손에 쥐었다. 한스는 사방을 둘러보았다. 늑대들은 어둠 속에서 빨간 눈빛을 발하며 기묘한 소리를 내었다. 아우~ 아우~ 한 마리가 울기 시작하자 다른 늑대들도 따라 울었다. 늑대들의 소리는 주변을 괴이하고 공포스럽게 만들었다. 시간이 흘러갈수록 늑대가 점점 더 늘어갔다. 늑대가 낸 기이한 소리는 다른 늑대들을 불러내는 소리였던 것이다. 늑대의 수가 늘어나자 아빠와 엄마의 몸짓이 더 급해졌다. 한스는 다가오려는 늑대에게 칼을 휘두르는 아빠의 손놀림이 잦아지는 걸알 수 있었다. 엄마의 표정엔 두려움과 공포가 그대로 느껴졌다. 게다가 한스는 등 뒤 동굴 속 누군가의 알 수 없는 시선까지 거슬렸다. 긴박한 상황 속에서도 더욱 또렷하게 느껴졌다. 한스는 마음속으로 빌고또 빌었다. 가족을 구해 달라고 빌었다. 그때였다. 아빠를 에워싸고 있던 늑대 중 두 마리가 아빠의 양쪽에서 뛰어들었다. 오른쪽으로 날다시 피 덤벼온 늑대는 깨갱 하는 소리를 내며 바닥에 뒹굴었다. 하지만 왼 쪽으로 덤벼든 늑대는 오른쪽 늑대가 나가떨어지는 사이 아빠의 왼쪽 종아리를 물어버렸다.

"으아악!"

아빠는 굵은 비명을 질렀다. 엄마는 털이 곤두설 정도로 날카로운 비 명을 질렀다. 밤하늘의 달과 별도 놀랐는지 더욱 반짝였다. 온 세상이 엄마의 비명으로 뒤덮인 것 같았다.

아빠는 다리를 물고 떨어질 줄을 모르는 늑대의 머리에 칼을 내리쳤 다. 머리에 칼을 맞은 늑대는 피를 흘리며 바닥에 내동댕이쳐졌다. 늑 대는 깨갱~ 하는 비명 소리를 지르고는 더 이상 움직이지 않았다. 한 번의 공격에 죽어버린 것이다. 엄마에게도 커다란 늑대 한 마리가 덮 쳐왔다. 엄마가 휘두른 몽둥이에 얼굴 정면을 얻어맞은 늑대는 그 자 리에서 머리를 바닥에 처박고 죽었다. 아빠의 다리에서는 팔에서 나는 것보다 많은 양의 피가 흘렀다. 신발까지 피에 젖어들었다. 아빠의 피 냄새를 맡은 늑대들은 더욱 으르렁거렸다. 이번에는 더 많은 늑대들이 동시에 덤벼들었다.

"한스! 모닥불을 더 피우고 동굴 안쪽으로 들어가!"

아빠가 다급히 소리쳤다. 한스를 쳐다볼 겨를도 없어 보였다. 아빠는 동시에 덤벼든 네 마리의 늑대에 둘러싸인 채 서 있었다. 이제 한스에 게 신경을 쓸 수 있는 상황도 아니었다.

"어서! 빨리!"

아빠는 머뭇거리는 한스를 보고 있는 것처럼 소리쳤다. 엄마 주위에도 늑대 세 마리가 에워싼 상태였다. 한스는 주변의 돌멩이를 집어 들어 있는 힘껏 늑대에게 던졌다. 그중 몇 마리는 깨갱 소리를 내며 주춤하기도 했지만 그것도 잠시였다. 한스의 공격은 늑대들에게 그다지 위협적이지 못했다. 돌에 맞은 늑대는 다시 달려들었다. 힘으로 보나 수적으로 보나 늑대들이 우세했다. 아빠에게는 두 마리의 늑대가 더 달라붙었다. 늑대들은 동시에 혹은 두세 마리씩 번갈아 가며 공격했다. 엄마도 이미 늑대에게 두 다리를 물린 채였다. 간신히 버티고 서서 다리를 물고 늘어진 늑대들의 머리를 몽둥이로 내리쳤다.

"한스! 어서 동굴로 들어가서 숨어! 어서!"

이번에는 엄마가 다급하게 소리쳤다.

"엄마 아빠를 두고 갈 수는 없어요! 내가 엄마를 지켜 주기로 했는데……"

한스는 아빠와 엄마를 도와줄 수 없는 자신을 비관했다. 한스의 눈에 늑대에게 목을 물려 바닥에 쓰러진 아빠의 모습이 보였다. 그것도 잠시, 뒤에서 덮친 늑대에게 목을 물리는 엄마의 모습이 두 눈으로 들어왔다. 엄마와 아빠가 곧 죽을 것이라는 생각에 한스의 온몸이 굳어 버렸다. 무서워서 그런 것이 아니었다. 엄마 아빠를 잃는다는 생각 때문이었다. 한스는 직감적으로 엄마가 이미 죽은 것을 알 수 있었다. 엄마의 몸에는 늑대들이 서로 머리를 들이밀고 온 몸을 물어뜯고 있었다.

엄마의 가슴에 늑대의 이빨이 박혀 있는 것이 보였다. 한스는 어젯밤 꿈에 엄마의 따스한 가슴을 조몰락거렸던 기억이 났다. 한스는 눈물을 뿌리며 동굴 속으로 뛰어 들어갔다. 한 손에는 불붙은 나무토막 하나가 들려져 있었다.

동굴은 깊고 깊었다. 한스는 미친 듯이 뛰었다. 이미 머릿속엔 아무 생각도 없다. 손에 들고 있던 나무토막은 어느새 빛을 잃어가고 있다. 한스는 이제 더 이상 뛸 수도 없었다. 지금 어디에 있는 지도 알 수 없다. 나무토막의 불꽃은 이미 사라져 버렸다. 기껏 빛이라는 게 존재한다는 걸 알리려는 듯 흐릿한 불씨만 남았다. 불씨는 동굴 속의 짙은 어둠에 빠르게 눌려가고 있었다. 한스에게 남은 것은 엄마 아빠를 잃었다는 기억과 완전한 어둠으로 둘러싸여 있다는 공포뿐이다. 더 이상은 아무것도 어쩔 도리가 없다. 눈물은 아무런 의미가 없다. 한스는 울고 있는지조차 모른 채다.

순간 한스는 짙은 어둠 속에서 서늘한 시선을 느껴졌다. 어둠이 주는 두려움이 아니었다. 어둠 속의 정체 모를 누군가의 두려움에 자기도 모르게 움츠렸다. 아니나 다를까 한스의 눈에 파란 두 눈빛이 보였다. 동물의 눈빛이 분명했지만 늑대는 아닌 건 알 수 있었다. 공포에 이빨이 떨리고 턱까지 떨렸다. 눈동자는 한스를 향해 느린 속도로 조금씩 다가왔다. 가까이. 한스는 저도 모르게 주춤거리며 뒤로 물러섰다. 이젠 모닥불의 불씨도 사라져 한스의 눈에 보이는 빛이라고는 그저 눈동자뿐이다. 두 눈동자는 점점 더 가까이 다가오고 있다. 한스에게 아빠와 엄마가 늑대에게 목이 물리던 모습이 떠올랐다. 이제 곧 자신도 그렇게 죽을 것이란 걸 예감했다.

"악!"

뒷걸음질을 치건 한스는 뒤꿈치에 돌이 걸려 뒤로 넘어지고 말았다. 그리곤 몇 초도 되지 않아 의식이 사라져 버렸다. 바닥에 머리를 부딪힌 것이다.

눈 주위와 볼에 따스함이 느껴진다. 미끈미끈한 따스함이다. 한스는 등에서 느껴지는 추위와 볼에서 알 수 없는 따스함을 동시에 느끼는 중이다. 늑대에게 목을 물려 쓰러졌던 아빠와 엄마의 모습이 떠올랐고 자신도 그렇게 된 거라고 생각했다. 이 순간이 빨리 지나가길 빌었다. 차라리 빨리 죽어버렸으면 했다. 한스는 한참을 헤매었다. 두려움에 눈을 뜨기도 싫었다. 마지막으로 기억하는 것이 제발 꿈이기를 바랐다. 그러나 절대 꿈이 아니라는 것을 인식하기까지는 그리 오래 걸리지 않았다. 한스는 억지로 눈을 떠 보았다. 아무것도 보이지 않았다. 눈을 뜬 것인지조차 의심스러웠다. 아직 동굴 안에 있는 것이 분명했다. 그런데 왼쪽에서 인기척이 느껴져 황급하게 고개를 돌렸다. 한스의 눈에 들어온 건 마지막 기억 속의 두 눈동자였다. 이상하게도 그 눈동자가 무섭지는 않았다. 목과 몸을 더듬어 봤지만 다친 곳은 한 군데도 없었다. 늑대에게 물렸을 거라고 생각했던 목에는 아무런 고통도 없었다. 뒤통수를 빼고는 아픈 곳이 없었다. 점차 두려움이 만들어낸 거친 호흡이 잦아들었다. 위협이 느껴지지 않자 안정을 찾은 한스는 눈동자의 주인이 자신을 해치려는 의도가 없다는 것을 알 수 있었다. 그러나 당장 무엇을 어떻게 해야 할지도 모르겠고, 불안한 마음이 완전히 사라진 것도 아니었다. 그런 생각이 스친 후 눈동자의 주인은 뒤로 물러서는 듯했다. 한스의 마음을 읽은 것만 같았다. 한스는 조심스럽게 몸을 일으켰다.

　끼이잉~ 끼잉~ 눈동자의 주인이 내는 소리는 늑대가 아닌 것이 분명했다. 한스가 제 자리에서 꼼짝도 하지 않자 눈동자의 주인은 다시 한스에게 다가왔다. 한스는 눈동자의 주인이 자기를 해치려고 하는 것은 아니라는 것을 알고 있었지만 공포가 휩쓸었던 몸은 움직일 수가 없었다. 마치 얼어붙은 것만 같았다. 그런데 눈동자의 주인은 한스의 다리를 비벼 옷자락을 물더니 잡아끌기 시작했다. 해를 끼치려는 것이 아니라는 것은 더욱 분명해졌다. 어딘가로 데려가려고 하는 것 같았다. 한스는 떨리는 가슴을 진정시키며 발걸음을 옮기기 시작했다. 울퉁불퉁하고 자잘한 바위가 너저분한 동굴 속에서 빛도 없이 걷는다는 건 쉬운 일이 아니었다. 완전한 암흑 속에서 보이는 것은 아무것도 없었다. 눈동자의 주인은 한스의 다리를 물었던 입을 벌려 다리를 놓아주었다. 눈동자가 한스에게서 멀어지기 시작했다. 눈동자의 주인이 뒷걸음질로 이동하는 것이다. 눈동자의 주인은 어딘가를 향해 앞서가며 가끔씩 고개를 돌려 한스를 쳐다보았다. 그 덕분에 한스는 자신이 걸어가고 있는 방향은 앞이 뚫려 있다는 것을 알 수 있었다. 한스는 발에 차이는 돌부리와 바위들 때문에 수시로 넘어지거나 간신히 중심을 잡고 서기도 했다. 그러면서도 한스는 눈동자의 위치를 놓칠 세라 거의 기다시피 눈동자를 따라갔다.

눈동자의 주인을 따라 얼마나 걸었는지 알 수 없었다. 험한 동굴 속을 무슨 정신으로 뛰어 들어온 건지 기억조차 할 수 없었다. 눈앞에 검푸른 빛이 흐릿하게 보이기 시작했다. 눈동자의 주인은 한스를 동굴 밖까지 안내하고 있었던 것이다. 그럴 수 없다는 걸 알면서도 한스는 아빠와 엄마가 살아있을지도 모르겠다는 생각이 들었다. 그저 모두 살아있기만을 기도했다.

눈동자의 도움으로 빛을 따라 동굴 입구로 나온 한스는 늑대가 덤벼들었던 곳이 아니라는 걸 알 수 있었다. 동굴을 벗어난 한스는 그제야 현실감을 찾았는지 제 눈으로 엄마 아빠의 죽음을 상기했다. 눈물이 그치질 않았다. 아빠와 엄마의 죽음을 목격했음에도 믿고 싶지 않았다. 얼마나 울었는지 모른다. 파란 눈동자의 주인은 그저 한스의 슬픔을 지켜볼 뿐이었다.

현실과 타협이 된 한스는 이제야 파란 눈동자의 주인을 알아볼 수 있었다. 은빛으로 빛나는 여우였다. 한스는 언젠가 시베리아 원주민들에게 전해졌다던 은빛여우의 전설을 기억해냈다. 아빠는 은빛여우가 인간을 좋아한다고 했었다.

그런 생각도 잠시, 한스는 동굴 입구에 쪼그리고 앉아 서럽게 울기 시작했다. 모든 것이 사라져 버렸다. 사랑하는 엄마 아빠가 살아있을 가능성이 없다는 것을 알고는 있었지만 끝까지 부정하고 싶었다. 사실이 아니라고 부르짖었다. 은빛여우는 한스에게 다가와 한스의 볼을 타고 흐르는 눈물을 핥아주었다. 한스는 은빛여우를 부둥켜안고 하염없이 울었다. 은빛여우는 꾸르르 소리를 내면서 한스와 함께 울어주었다. 동쪽 하늘에서는 어둠을 거둬버리듯 밝은 햇살이 그들을 밝혀주었다. 은빛여우의 아름다운 털이 햇빛에 반사되어 아름다웠다. 은빛여우는 한스의 품 속에서 움직이지 않았다. 은빛여우는 한스의 여리고 여린 마음이 조금이라도 안정될 때까지 그렇게 가만히 있어 주었다.

*

한스가 정말 불쌍하지 않나요? 한스를 도와준 은빛여우는 사실, 우리 아빠예요. 정말 착하고 멋진 분이죠. 아빠가 아니었다면 한스는 그때 늑대들에게 죽었을지도 몰라요. 동굴 안에서 얼어 죽었거나 길을 잃어 굶어 죽었을지도 몰라요. 한스는 정말 착한 아이였어요. 그리고 정말 용감했고요. 엄마 아빠가 늑대에게 습격을 당해서 죽게 되었지만 한스는 용기를 잃지 않았어요. 그 뒤로 어떻게 됐냐고요? 우리 아빠는 한스가 울음을 멈추기를 기다려 주었어요. 아빠는 한스를 보면서 우리 생각이 나서 같이 울어준 거죠. 우리는 엄마하고 집에서 잘 놀고 있었는데 아빠는 한스가 남의 자식 같지 않았대요. 사실, 우리 은빛여우가 인간들에게 신화적인 존재가 된 것도 순수한 아이들만이 우리의 존재를 느낄 수 있었기 때문이거든요. 아무튼 한스의 부모님 영혼은 우리 아빠에게 한스를 도와 달라고 간절히 부탁했대요. 한스가 돌부리에 걸려 쓰러져 기절한 후, 아빠는 한스 부모님과 한스에 대한 이야기를 했어요. 한스가 사는 인간들의 마을이 어디인지도 알게 됐고요. 아빠는 한스를 인간들이 사는 마을까지 데려다 주기로 약속했어요. 그런데 인간 마을까지는 정말 먼 거리였어요. 한스네 가족은 배를 타고 와서 하루 만에 왔겠지만 걸어서 가려면 무려 한 달을 돌아가야 했어요. 한스의 아빠는 3일 정도면 집에 갈 수 있을 거라고 생각했다지만 실제로는 엄청나게 먼 거리였어요. 아빠 혼자 간다면 좀 더 빨리 갈 수 있었겠지만, 한스가 아직 어린아이인 데다가 인간은 숲을 걷는 게 쉽지 않았어요. 어쨌거나 한 달 하고도 며칠이 더 걸렸어요. 아빠는 기나긴 여행을 하는 동안 한스에게 먹을 것까지 구해 주면서 인간들이 사는 마을 근처에 도착할 수 있었대요. 그런데 한스는 아빠와 헤어지려 하지 않았어요. 하지만 아빠는 한스와 함께 있을 수 없잖아요. 아빠는 한참 동안 한스를 안아주었대요. 아빠는 헤어지는 걸 아쉬워하는 한스와 함께 울어주었어요. 이번에는 한스가 우리 아빠 곁을 떠날 시간인 거죠. 한스는 자꾸만 뒤를 돌아보았대요. 아빠가 동굴에서 한스를 데리고 나올 때처럼 말이죠. 40여 일 가까운 시간 동안 아빠와 한스는 진짜 가족처럼 가까워졌었던가 봐요. 아빠는 한스가 보이지 않게 된 지 한참이 지나서야 우리 집 쪽으로 발걸음을 옮길 수 있었어요. 한스는 정말 착하고 용기 있는 아이였어요. 그런데 아빠는 그때 만났던 한스의 부모님 영혼이 예전에 만났던 인간들하고는 많이 다르게 생겼다고 생각했었대요. 한스네 부모님은 덩치도 너무 크고 피부색도 달랐대요. 어쨌든 인간들은 우리처럼 네 발로 빨리 뛸 수도 없고 가죽도 약한 데다 털도 없어서 추위도 많이 타는 약한 동물이잖아요. 인간들은 너무 착하기만 해요.

참! 한스는 헤어지면서 아빠의 목에 예쁜 끈으로 된 목걸이를 걸어 주었어요.

난 별로 예쁜 지 모르겠는데 아빠는 예쁘대요. 세대 차이인가?

3화 - 지옥에서 온 사냥꾼

　때는 바야흐로 1622년. 시베리아가 변하기 시작했어요. 동물에게는 공포 스러운 변화였어요. 절대로 좋은 의미의 변화는 아니었죠. 마치 세상의 모든 인간이 악마로 바뀐 것 같았어요. 분명 착하기만 했던 인간들이었는데 언제 부터인지 시베리아의 동물들을 마구 죽여대기 시작했어요. 전에 없이 우리 의 먼 친척이 갑자기 죽기도 했고, 아빠의 친구들이 실종되는 일도 종종 있었 어요. 물론 예전에도 사냥꾼이 없었던 것은 아니에요. 하지만 갑자기 사냥꾼 이 많아지기도 했고 그들의 사냥 목적 자체가 달라진 것 같았어요. 사실 우리 동물들도 서로 잡아먹고 먹히는 먹이사슬 관계에 있기 때문에 인간이 생계 를 목적으로 사냥하는 것은 우리 동물들도 어쩔 수 없는 것이었어요. 슬픈 일 이긴 하지만요. 아빠는 인간들에게 대체 어떤 일이 벌어진 것인지 알고 싶으 시다며 한동안 마을을 떠나 있었어요. 사냥꾼들을 감시하신 거죠. 딱 그렇다 고 정해진 건 아니었지만 아빠는 우리 마을을 지키는 대장이나 마찬가지였어 요. 숲 속 동물들이 너무 불안해하는 걸 보다 못해 인간들을 감시하기로 한 거 예요. 인간들의 전설로만 알려진 사실이지만 은빛여우는 우리의 오랜 조상

때부터 인간과 가깝게 지내왔어요. 그래서 인간들이 동물을 사냥하는 게 두렵긴 해도 그들의 천성을 믿는 구석이 있었어요. 하지만 다른 동물들은 그렇지 않았죠. 게다가 당시에 우리 숲과는 꽤 멀리 떨어진 곳에서 이상한 소식이 들려오고 있었어요. 어떤 숲은 동물들이 인간들에게 잡혀서 죽었고 간신히 살아남은 동물들은 다른 숲으로 도망갔다는 거예요. 완전히 지옥이나 마찬가지였다고 하더라고요. 그런 소식을 듣고도 인간들을 두둔하던 아빠는 상당히 부담스러우셨을 거예요. 특히 인간과 가깝게 지냈다는 이유로 은빛여우를 이상하게 보는 동물들까지 있었거든요.

*

인간들이 모여 살기 시작한 지 꽤 오래된 마을이 있다. 얼마 전 그곳에 커다란 선착장이 생겼다. 새벽 일찍부터 선착장이 부산하다. 사냥꾼으로 보이는 사람들이 여태 볼 수 없었던 많은 배 안에 짐을 옮겨 싣고 있다. 선착장에 있던 짐을 다 싣자 남자들이 줄지어 배에 올라탄다. 가족으로 보이는 여자들과 아이들은 남자들에게 키스를 하거나 포옹을 했다. 어떤 남자들은 아이들을 꼭 안아주기도 했다. 먼 길을 떠나려는 것 같다. 마을에 남은 남자는 아이들과 허리가 굽어진 사람들밖에 없다. 자세히 살펴보면 목발을 짚고 있는 사람도 있다. 팔이 하나 없는 사람도 보인다. 그들은 얼마 전 시베리아로 건너온 러시아인 사냥꾼이다. 이 마을은 얼마 전만 해도 열댓 가구 정도의 인간들이 모여 살던 작은 마을이었다. 동물의 가죽을 팔아 생계를 유지하던 가난하고 소박한 인간들이었다. 그들이 비록 동물을 사냥을 하긴 했지만 생계유지를 위한 목적에 불과했기 때문에 맹수들 외에는 동물들에게 위협을 당하는 일도 없었다. 그런 마을에 얼마 전부터 상당히 많은 인간들이 모여들기 시작했다. 전부 사냥꾼과 그들의 가족이다. 여자와 아이들은 동물들에게 해를 끼치지 않았지만 새로 이사 온 사냥꾼들은 무시무시한 인간들이다. 최근 사냥꾼이 설치해 놓은 올가미에 다리가 묶여 사냥꾼에게 사로잡혔던 경험이 있는 은빛여우가 있다. 그 은빛여우는 인간들이 사는 마을로 끌려갔다가 우여곡절 끝에 살아서 도망쳐 나왔다. 한쪽 눈두덩이만 검은 털이 나 있어서 좀 웃기게 생기긴 했지만 귀여운 은빛여우다. 그의 이름은 왼쪽눈만검둥이다. 그는 놀라운 이야기를 들려주었다. 사냥꾼 마을의 실상을 듣게 된 동물들은 일제히 대책을 찾기 시작했다. 대책을 세운다고 해서 딱히 대단한 방법이 있는 것은 아니었다. 그 전에도 인간 마을에서 도망쳐 나온 동물이 없었던 것은 아니다. 다만 이번에는 은빛여우라는 것이 결정적인 차이점이다. 왼쪽눈만검둥이가 인간 마을에 사로잡혀 갔을 때 인간의 영혼을 만났다고 했다. 왼쪽눈만검둥이는 인간은 죽어서 영혼이 되면 태어날 때처럼 착하고 순수한 존재가 된다는 사실을 잘 알고 있었다. 왼쪽눈만검둥이는 인간의 영혼에게서 사냥꾼들이 왜 동물의 땅, 시베리아로 모여들게 된 것인지 늘을 수 있었다. 그들의 목적을 알고 난 후엔 경악을 금치 못했다고 했다. 그에게서 이야기를 전해 들은 동물들 역시 마찬가지였다. 왼쪽눈만검둥이가 알려준 인간 영혼의 말에 의하면 인간은 동물의 가죽을 벗겨서 어딘가로 팔아버린다고 했다. 왼쪽눈만검둥이도 까딱 잘못했으면 가죽이 벗겨져 버렸을지도 모를 일이었다. 은빛여우의 먼 친척들이 살고 있는 유럽에서는 동물의 가죽을 벗겨 옷을 만들어 입는 것이 유행이라고 했다. 유행이 뭔지 몰라도 인간들은 동물이란 동물은 닥치는 대로 잡아 죽인다고 했다. 이미 유럽에 살고 있던 동물들은 거의 멸종하다시피 했다고 말했다. 사냥꾼들은 동물이 많은 지역으로 이동하기 시작했는데 얼마 전부터는 시베리아의 동물 가죽의 인기가 높아져 값도 비싸졌다는 것이다. 사냥꾼 마을에 인간들이 많아진 것도 돈을 벌기 위해 러시아의 사냥꾼들이 모여든 것이라고 했다. 인간 영혼의 말 중에서 가장 충격적인 것이 있었다. 인간들이 입는 모피코트 한 벌을 만들기 위해서는 친칠라 백 마리 정도가 필요하고 밍크는 쉰다섯 마리, 여우로는 스무 마리나 필요하다. 그뿐만이 아니었다. 심지어는 조그만 다람쥐마저 잡아서 모피코트를 만드는데 수백 마리의 다람쥐가 필요하다고 했다. 매년 상상할 수도 없을 만큼 어마어마한 동물들이 죽임을 당한다는 것이다. 공포스러운 이야기가 아닐 수 없었다. 동물들 모두 입을 쩍 벌리고 경악했다. 단지 식량 문제 때문에 사냥을 하던 인간들만 해도 약한 동물들에게는 공포의 대상이었는데 왼쪽눈만검둥이에게 들은 이야기는 상상할 수도 없었던 공포였다. 그는 인간의 손에서 도망쳐 마을까지 돌아오는 길에 보았던 것도 말해 주었다. 우연히 인간 마을의 항구를 지나치게 되었는데, 마을 주변 땅은 물론이고 마을 앞에 흐르는 강에도 동물들의 가죽과 피로 물들어 있었다고 했다. 마치 지옥을 보는 것 같았다는 거다. 가죽을 말려 쌓아 둔 창고 주위에는 헤아릴 수 없는 동물의 영혼들이 나타났다가 사라져 갔다. 어떤 영혼은 자신이 죽은 줄도 모른 채 창고 주위를 헤매고 있었다고 한다.

꽝~ 꽝~ 탕~ 타당~ 탕~

호수 근처 숲 어딘가에 날카롭게 귀를 파고드는 소리가 들려왔다. 처음 듣는 소리였다. 시베리아 땅에 태곳적부터 이런 소리는 없었다. 천둥소리보다는 작지만 날카로운 파공성이 기분 나쁘게 들렸다. 귀가 뾰족해서 뾰족귀라는 이름을 가진 은빛여우가 근처에서 가장 높은 언덕을 향해 뛰기 시작했다. 이상한 소리가 들려오는 곳을 찾기 위해서다. 뾰족귀가 언덕 위에 도착했을 때는 기분 나쁜 소리가 더 이상 들리지 않았다. 뾰족귀는 언덕 위에서 다시 소리가 들릴 때까지 기다려 보기로 했다. 그러나 한참을 기다렸지만 더 이상 기분 나쁜 소리는 들리지 않았다. 뾰족귀는 햇빛에 익어 따듯해진 넙적한 바위에 배를 붙이고 엎드렸다. 피곤하던 차에 잘 되었다 싶었다. 오랜만에 낮잠을 한 숨 자 두는 것도 나쁘지 않을 것 같았다. 금세 잠이 든 뾰족귀는 꿈속에서 두 아이들과 너른 잔디밭에서 뛰고 뒹굴며 한가롭고 평화로움을 즐겼다. 꿈에 취해 있던 뾰족귀는 누군가 풀을 헤치는 소리를 듣고 눈을 번쩍 떴다. 유난히 뾰족한 두 귀가 쫑긋거렸다. 누군가 언덕 위로 올라오는 것이었다. 뾰속귀는 소리를 죽이며 살금살금 수풀 사이로 몸을 옮겨 자세를 낮추었다. 뾰족귀는 코를 킁킁거리며 다가오는 누군가의 냄새를 맡아

보았다. 생전 처음 맡아보는 냄새였다. 특히, 매큼한 냄새는 기분을 나쁘게 만들었다. 정말 불쾌한 냄새가 아닐 수 없었다. 뾰족귀는 언덕으로 다가오는 것의 정체가 다름 아닌 인간이라는 것을 알 수 있었다. 모두 네 명이다. 뾰족귀는 혹시라도 인간의 눈에 띨까 걱정이 되어 숨을 죽인 채 그들을 지켜보기로 했다. 네 명 중 우두머리로 보이는 인간은 나머지 세 명에게 손가락으로 방향을 지시하는 것 같았다. 북쪽의 빙하지대와 동쪽의 강과 늪지대 그리고 늪지대의 좀 더 위쪽에 있는 뾰족귀의 마을을 지시하고 있었다. 인간들은 그들의 언어로 한참 동안 대화를 하는 듯싶더니 이내 언덕을 떠날 준비를 했다. 그런데 그중 한 명이 뾰족귀가 숨어 있는 수풀 쪽으로 걸어왔다.

'큰일 났다!'

뾰족귀는 초긴장 상태로 그 인간을 주시했다. 인간은 몸에 걸친 옷을 벗어 내리더니 흉측하게 생긴 것을 꺼내어 오줌을 싸는 것이다. 뾰족귀는 난생처음 인간이 오줌을 싸는 모습을 보았다. 앞으로 찌익 하고 나가는 것이 일반적으로 동물들이 하는 행동과는 상당히 달랐다. 냄새도 지독했다. 뾰족귀는 억지로 숨을 참으며 오줌 냄새를 맡지 않으려 했지만 쉬운 일이 아니었다. 인간은 오줌을 다 싸고는 흉측한 그것을 앞발로 탈탈 털기 시작했다. 누렇고 냄새나는 오줌 방울들이 여기저기 튀었다.

'욱!'

콧잔등에 떨어진 인간의 오줌 한 방울에 짜증이 나서 미쳐버릴 지경이었다. 하지만 인간에게 발각되면 어떤 일이 벌어질지 알 수 없으니 꾹 참아내는 수밖에 없었다. 인간은 다시 옷을 다리 위까지 올리더니 긴 막대기 하나를 집어 들고 언덕을 뛰어 내려갔다. 그가 오줌을 싸는 동안 다른 인간들은 언덕을 떠나버린 것이었다. 뾰족귀는 이제 인간의 냄새를 정확하게 기억할 수 있게 되었다. 근처에 인간이 있다면 그들보다 먼저 발견할 수 있을 것 같았다. 뾰족귀는 인간들의 냄새가 느껴지지 않을 때까지 언덕 위에 머물기로 했다. 꼬르륵~ 배가 고파 오기 시작했다. 어제 들쥐 한 마리를 잡아먹고 난 이후 지금까지 아무것도 먹지 못했기 때문이다. 하지만 이상한 인간들과 기분 나쁜 소리의 정체를 알아내는 것이 중요했다. 뾰족귀는 다시 바위 위에 올라 주변을 살피기 시작했다. 그런데 뾰족귀의 가족이 살고 있는 마을과 반대 방향에서 연기가 피어오르는 것이 보였다. 뾰족귀는 연기가 나는 곳을 보며 킁킁거렸다. 숲이 타는 게 분명했다. 바람은 뾰족귀 쪽으로 불어오고 있었다. 불안한 상황이란 걸 인지할 수 있었다. 여차하면 불길에서 말려 빠져나갈 수 없게 될 지도 모른다. 빨리 언덕을 벗어나야 할 것 같다는 판단을 내린 뾰족귀는 바람이 불어오는 반대방향으로 뛰기 시작했다. 여차하면 뾰족귀 자신도 산불을 피하지 못할 수도 있기 때문이다. 한참을 뛰어 언덕을 내려서자 갈색곰 두 녀석이 뾰족귀 쪽으로 뛰어오는 것이 보였다. 산불을 피해 뛰어오는 게 분명했다. 곰들은 뾰족귀를 발견하고는 멈춰 섰다.

　"당신들. 지금 불이 나서 도망가는 건가요?"

뾰족귀가 먼저 물었다.

"안녕하세요? 은빛여우는 정말 오랜만에 만나는 것 같군요. 지금 저쪽에서 큰 불이 나서 모두 피하고 있어요."

남자 곰이 대답했다.

"지금은 산불이 날 계절이 아닌데 이상하네요."

뾰족귀가 말했다.

"맞아요. 우리 숲은 지금까지 단 한 번도 산불이 난 적이 없었어요. 이상한 일이에요. 어쨌든 당신도 빨리 피해요. 이미 불이 많이 번져서 조금 있으면 다른 동물들도 몰려올 거예요."

"네~ 고마워요."

탕~ 탕타타탕! 멀리서 다시 이상한 소리가 들려왔다. 소리가 작게 들리기는 했지만 언덕을 오르기 전에 들었던 소리가 분명했다.

"혹시, 저 소리가 무슨 소린 지 아시나요?"

뾰족귀가 갈색곰에게 물었다.

"네? 여우씨는 아직 저 소리를 모르나요?"

"네. 제가 아직 이 숲에 대해서는 잘 모르거든요."

"저 탕 하는 소리가 들리면 어디선가 동물 한 마리가 쓰러져 죽거나 피를 흘려요. 쓰러졌던 동물은 얼마 못 가서 죽어버리고요. 인간들은 이상한 막대기를 가지고 다니는데 거기서 소리가 나는 것 같아요. 무시무시해요. 벌써 우리 마을 곰들도 네 마리나 죽었어요. 힘이 약한 동물은 더 많이 죽었고요."

"인간들은 원래 그런 걸 가지고 있지는 않았잖아요. 왜 갑자기 그런 걸 가지고 우리를 죽이는 거죠?"

"여우씨는 잘 모르시나 보네요. 지금까지 우리 마을 동물은 벌써 절반 이상이 죽거나 잡혀갔어요. 여우씨도 저 소리가 나면 빨리 자리에서 피하세요. 큰일 납니다. 인간이 여우씨도 죽일 거예요."

갈색곰 두 마리는 그 말만 남긴 후 급히 자리를 피했다. 뾰족귀는 갈색곰들이 뛰어가는 방향으로 가려다 멈춰 섰다. 아직은 인간들과 이상한 막대기에 대한 비밀을 파헤칠 시간적인 여유가 있을 것이라고 생각했다. 아직은 산불이 위험할 정도로 가까이 온 것은 아니라는 판단이었다. 뾰족귀는 갈색곰이 달려오던 방향으로 뛰기 시작했다. 이미 산불을 두 번이나 경험해 봤기 때문에 어지간한 산불은 무섭지 않았다. 게다가 뛰는 데는 특히 자신이 있었다. 한참을 뛰어가자 숲이 타는 냄새가 점점 더 강해졌다. 도망쳐오는 동물도 많아졌다. 동물들 모두 뾰족귀를 걱정하며 가지 말라고 했지만 뾰족귀는 어떻게든 인간들이 들고 다니는 막대기의 정체를 확인하고 싶었다. 하지만 얼마 지나지 않아 생각을 바꿔야만 했다. 이번 산불은 규모가 예사롭지 않다는 느낌 때문이다. 아쉽지만 뾰족귀는 다시 반대방향으로 뛰었다. 역시 뾰족귀는 매우 빨랐다. 정신없이 뛰다 보니 다른 동물보다 한참 앞서 뛰고 있었다. 산불의 위험에서 벗어났다는 생각이 들 정도로 달린 후에야 조금 안도를 할 수 있었다. 잠깐의 여유가 채 시작되기도 전에 어디선가 인간의 냄새와 뒤섞인 동물의 피 냄새를 맡을 수 있었다. 뾰족귀는 코를 킁킁거리며 냄새가 나는 곳의 위치를 찾기 시작했다. 하지만 산불 때문에 냄새가 너무 복잡했다. 냄새가 나는 정확한 위치를 찾기가 쉽지 않았다. 그런데 누군가의 낑낑거리는 소리가 났다. 거의 죽어가는 듯한 신음소리였다. 뾰족귀는 소리가 나는 방향의 수풀 더미를 헤치고 뛰어갔다. 수풀 너머에는 갈색곰 한 마리가 쓰러져 있었다. 아까 만난 갈색곰이었다. 뾰족귀는 갈색곰 옆으로 폴짝 뛰어갔다. 갈색곰 중 말이 없던 여자곰이었다. 거의 죽어가는 것 같았다.

"혹시 말할 수 있어요?"

"네에~"

뾰족귀의 질문에 갈색곰은 가는 목소리로 힘겹게 말했다.

"어떻게 된 거예요? 친구는요?"

뾰족귀는 갈색곰을 돕고 싶었지만 자신이 달리 도울 수 있는 방법이 없다는 걸 알고 있었다. 단지, 다른 갈색곰이 살아 있다면 도와주고 싶었다.

"인간이 막대기로 우리를 해쳤어요. 제 친구는 사냥꾼을 잡으려 뛰어갔어요. 인간을 조심하세요. 그리고 혹시 제 친구를 만나게 된다면 꼭 전해주세요. 많이 사랑한다고요."

갈색곰은 이미 자신이 죽을 것을 알고 있었던지 힘겹게 말을 마쳤다. 그리곤 살며시 눈을 감았다. 더 이상 숨을 쉬지 않았다. 뾰족귀는 아까 만났던 갈색곰의 냄새를 기억해보려 했지만 잘 기억나지 않았다. 그때였다. 멀지 않은 곳에서 인간의 냄새가 났다. 아까 뾰족귀의 콧잔등에 오줌을 튀긴 인간의 냄새였다. 뾰족귀는 모든 신경을 집중해서 그 인간의 냄새가 나는 곳을 찾아 킁킁거렸다. 까딱 잘못이라도 하는 날엔 자신도 갈색곰처럼 죽임을 당할지도 모르는 상황이었다. 하지만 인간의 움직임은 전혀 없는 것 같았다. 뾰족귀는 살금살금 인간의 냄새가 나는 곳을 향했다. 멀지 않은 곳이라는 걸 알 수 있었다. 길게 자란 풀을 헤치고 코를 얼굴을 내밀자 이미 죽어 있는 인간의 몸과 그 옆에서 어쩔 줄몰라 망연자실해 보이는 인간의 영혼이 보였다. 뾰족귀는 인간의 영혼에게 말을 걸기로 했다. 뾰족귀가 인간의 영혼과 대화를 하는 것은 이번이 두 번째였다.

"당신은 이미 죽었어요. 후회해도 소용이 없어요. 대체 무슨 일이 있었던 건가요?"

인간의 영혼은 아직까지 자신의 죽음을 받아들이지 못하고 있는 것같았다. 인간이 죽은 지 얼마 되지 않았다는 증거였다.

"내가 죽은 게 맞는 거군요. 여우씨는 내가 보이나요?"

뾰족귀는 인간 영혼의 말에 살며시 고개를 끄덕여 주었다. 인간은 자신이 죽게 된 경위에 대해 이야기하기 시작했다.

"나는 방금 언덕에서 내려왔어요. 다른 동료들과 함께 산불을 내서동물들을 한쪽으로 몰아넣은 후 사냥하기로 했어요. 나는 약속했던 장소를 향해 가고 있었어요. 그런데 갑자기 갈색곰이 나타난 거예요. 그것도 두 마리나. 먼저 내려간 동료보다 늦게 내려온 나는 동료들보다조금 뒤처져 가고 있었기 때문에 그들이 갈색곰에게 발각됐다는 것을 알 수 있었어요. 하지만 동료들은 아니었죠. 그들이 갈색곰에게 발각됐다는 것을 알아차렸을 때는 이미 동료들이 모두 갈색곰에게 죽을 수밖에 없는 상황이었어요. 나는 재빨리 총을 조준해서 갈색곰 한 마리를 쐈어요. 정확히 심장을 맞은 그 곰은 으르렁거리면서 두 팔을 하늘로 뻗쳤어요. 동료들을 공격하려는 거였죠. 그래서 나는 총을 더 쐈어요. 이번에는 곰의 목에 정확하게 맞았어요. 곰이 쓰러지자 동료들은 그때를 이용해 도망치기 시작했어요. 그들도 총이 있었지만 너무 놀란 나머지 갈색곰에게 총을 쏠 생각을 하지 못한 거죠. 갈색곰에게 총을 쏘려면 그 자리에서 죽여야만 해요. 한 번에 죽이지 못하면 오히려 죽임을 당할 가능성이 높거든요. 그런데 다른 갈색곰이 나를 발견하고 말았어요. 그 갈색곰은 총에 맞아 쓰러진 곰보다 덩치도 더 크고 힘도 훨씬 세 보였어요. 갈색곰은 괴성을 지르면서 두 다리로 일어섰어요. 머리 위로 펼친 두 팔은 하늘을 가릴 것 같았어요. 그 모습은 꼭 자기한테도 총을 쏴 보라는 것 같았죠. 나는 놀라서 큰 갈색곰에게 총을 쐈어요. 긴장해서 그랬는지 총알은 빗나갔어요. 다시 총을 쏘려고 했지만 고장이 난 건지 전혀 작동하지 않았어요. 큰 갈색곰은 나를 향해 빠른 속도로 뛰어오기 시작했어요. 정말 무서웠어요. 갈색곰이 내 앞까지 오는 건 불과 몇 초에 불과했어요. 나는 총을 집어던지고 칼을 꺼내 갈색곰에게 대응할 준비를 했어요. 어디서 그런 용기가 났는지 모르겠어요. 아무튼 그 짧은 칼을 가지고 어마어마하게 크고 힘도 센 갈색곰과 싸워 이길 수 있다는 건 꿈같은 이야기죠. 내 눈앞에는 순식간에 갈색곰이 꽉 차

버렸어요. 갈색곰이 휘두른 긴 팔에 내 머리를 정통으로 맞았어요. 그리고는 이렇게 된 겁니다."

뾰족귀는 사냥꾼의 말을 듣고서야 고약한 소리가 나는 막대기의 정체가 총이라는 물건이라는 것을 알게 됐다. 인간들은 공포스러운 막대기를 가지고 동물들을 학살하고 있었던 것이다. 게다가 인간들은 동물을 더 쉽게, 더 많이 잡기 위해 동물들이 모여 살고 있는 숲을 모조리 불태우는 만행을 저지르고 있는 것이다. 뾰족귀는 인간들에게 화가 치밀어 올랐다. 하지만 그가 알고 있던 인간들은 그렇게 나쁜 무리가 아니었다. 잘 생각해 보니 방금 만난 인간은 전에 만나왔던 인간들보다 덩치가 좀 더 크고 흰 피부를 가진 것 같았다. 하지만 외모가 조금 다를 뿐 별다른 점은 없었다. 뾰족귀는 어릴 적부터 할아버지에게서 인간에 대한 이야기를 자주 들어왔다. 할아버지 역시 인간에 대해 나쁜 감정은 없었다. 뾰족귀가 아는 인간들은 선하고 욕심이 없었다. 동물들과 마찬가지로 그저 숲의 일부로서 동물들과 크게 다른 점도 없었다. 인간들이 왜 갑자기 험악하게 변해버린 것인지 도무지 이해할 수가 없었다.

"나는 곧 떠나야 해요. 더 이상 알고 싶은 게 없다면 나는 이만 갈게요."

인간 영혼은 자신이 죽었다는 것을 깨우치고 현실을 인정한 것인지 자신의 몸 주위에서 떠나려고 했다. 인간들의 영혼이 모여 산다는 곳으로 가려는 듯했다.

"아뇨. 잠시만요. 몇 가지 물어보고 싶은 게 있어요."

뾰족귀는 뒤로 돌아서려는 그를 급히 불러 세웠다. 인간 영혼은 아까보다 편안해진 표정으로 미소를 지었다. 자신의 죽음을 인정한 것이었다.

"인간들은 왜 이렇게 무서운 짓을 하는 거죠? 우린 친구였잖아요. 게다가 당신들은 우리들이 살고 있던 집, 숲을 모두 태워버리고 있어요."

뾰족귀는 제법 화가 난 표정으로 말했다. 아니! 사실 화가 났다. 인간들이 이런 식이라면 이곳과는 제법 먼 곳에 있긴 하지만 뾰족귀의 가족들이 살고 있는 숲 역시 무사하지 못할 것이기 때문이었다.

"미안해요. 죽기 전에는 몰랐어요. 동물에게도 가족이 있다는 것을 생각하지 못했어요. 나 역시 가족을 위해서 사냥을 했어요. 다만 부자가 되고 싶어서 더 열심히 일을 했던 거예요. 그런데 살아있을 땐 미처 몰랐었네요. 이렇게 여우씨와 말을 할 수도 없었고요. 동물은 그저 바보 같고 아무 생각도 없는 존재라고 생각했어요. 동물에게도 포근한 집이 있었고, 그저 행복하게 살고 있었을 뿐인데 우리 인간들이 동물들을 마구 죽여 버린 건…… 우리 인간들의 무리한 욕심 때문이었던 거예요. 여우씨. 나는 아마도 절대로 천국에 갈 수 없겠죠? 이제 여기를 떠나면 지옥으로 가게 될 거예요. 그렇더라도 부디 나를 용서해 주세요. 미안해요."

인간 영혼은 눈물을 흘리며 뾰족귀에게 용서를 빌었다. 뾰족귀는 그의 용서를 받아주고 싶었지만 자신은 그럴 수 있는 입장도 아니고 그럴 권한도 없다고 생각했다.

"인간도 죽으면 태어날 때처럼 다시 착하게 돼요. 지옥 같은 것은 없어요. 후회해도 어쩔 수 없는 거죠. 그러니까 살아있을 때 잘해야 하는 거예요. 다시 인간으로 될 수는 없을지도 모르겠지만. 아무튼 잘 가세요~"

뾰족귀는 인간 영혼에게 마지막 인사를 했다. 갈색곰의 영혼은 벌써 어딘가로 떠났는지 보이지 않았다.

산불이 조금 약해졌는지 나무 타는 냄새가 조금씩 줄어들고 있었다. 뾰족귀는 인간들을 따라간 갈색곰을 마냥 기다려 사랑한다는 말을 전해줄 상황이 아니었다. 빨리 마을로 돌아가서 가족과 동물들에게 이 소식을 알리고 대책을 세워야만 했다.

은빛여우보다 백 배는 되는 덩치를 가진 갈색곰은 은빛여우 무리들과 그다지 가까운 사이가 아니다. 물론 갈색곰은 큰 덩치에도 불구하고 난폭한 편은 아니었다. 무서운 시베리아 호랑이에 비하면 다들 연약한 동물이나 마찬가지였다. 여우라는 동물은 영특하고 꾀가 많아 대부분의 동물들에게 인기가 많았다. 갈색곰들 역시 고민이 생기거나 하면 여우를 찾곤 했다. 그중에서도 특히 더 영리한 은빛여우들을 찾아다닌다고 들었다.

마을을 향해 한참을 달리던 뾰족귀는 갈색곰의 부탁이 머리에서 맴돌았다. 사랑한다는 말을 전해야 한다고 생각하니 더 이상 발이 떨어지지 않았던 것이다. 결국 빌길을 돌린 뾰족귀는 이미 죽어버린 갈색곰 옆으로 돌아왔다. 그리고는 갈색곰이 되돌아올 때까지 계속 기다려 보기로 작정하고 꼬리를 감고 바닥에 앉았다.

하지만 한참이 지나도 갈색곰이 나타나지 않았고 배가 고팠던 뾰족귀는 졸음에 겨워 눈이 스르르 감겨버렸다.

뾰족귀는 두 아들과 함께 고향 숲 속을 뛰고 있다. 이게 꿈이라는 걸 뾰족귀는 알고 있었다. 그래도 마냥 기분이 좋았다. 이제 제법 덩치가 커지기 시작한 두 아들은 영리하고 잘 생겼다. 작은 녀석은 또래들보다 덩치가 많이 작은 편이었지만 대신 마을에서 제일 똑똑한 녀석이다.

쿵~쿵쿵~그르르르~

쿵쿵거리는 소리가 꿈속에서 들리는 게 아니란 걸 인지한 뾰족귀는 깜짝 놀라 눈을 떴다. 차갑게 식어버린 갈색곰 옆에서 울고 있는 다른 갈색곰이 보였다. 기다리던 갈색곰이 찾아온 것이다. 뾰족귀는 갈색곰의 아픈 마음이 안정될 때까지 기다려 주기로 했다. 그를 위해 해 줄 수 있는 것이 없었기 때문이다. 슬픔에 잠긴 갈색곰은 뾰족귀가 옆에 있었다는 것조차 모르고 있는 눈치였다. 한참이 지나 슬픔이 잦아든 걸 확인한 뾰족귀가 기척을 내 자신의 존재를 알렸다. 깜짝 놀란 갈색곰이 동그란 눈으로 뾰족귀를 쳐다보았다.

"여우씨는 아까 그~"

"네. 맞아요. 지나가던 길에 당신의 친구를 만났어요. 전해 달라는 말이 있어서 당신을 기다리고 있었어요."

"뭐라고…… 하던가요?"

갈색곰은 친구의 곁에 끝까지 함께하지 못했던 것에 대한 불편함과 안타까운 마음이 함께 자리잡고 있는 것 같았다.

"사랑한다고 전해 달래요. 그리고 인간을 조심하라고. 그건 저한테 말한 것이긴 하지만요."

갈색곰은 뾰족귀의 말을 듣고는 고개를 들어 하늘을 보며 우~우~ 하는 소리를 내며 울었다. 뾰족귀는 이제 갈색곰에게 인사를 남기고 떠날 생각을 했다. 더는 머무를 이유가 없었다. 그런데 뾰족귀의 눈에 갈색곰 오른쪽 앞발 뒤쪽 날갯죽지에 굵은 나뭇가지 하나가 박혀 있는 것이 보였다. 게다가 거기서 피가 조금씩 흐르고 있었다.

"저기요~"

뾰족귀는 갈색곰을 불렀다. 갈색곰은 비통에 찬 울음을 잠시 멈추고서 뾰족귀를 쳐다보았다.

"저기…… 음~ 당신 등에 나무가 하나 꽂혀 있어요. 피도 나고 있고요."

"그래요?"

갈색곰은 등 뒤를 살펴보고 싶었지만 확인할 수 있는 방법이 없었다.

"인간들과 싸우던 중에 다친 것 같네요. 아프긴 하지만 버틸 만해요. 늦었지만 우리 인사나 해요. 제 이름은 무지큰발입니다. 이것도 인연인데 우리 친구 하기로 해요."

갈색곰이 먼저 친구를 제안했다. 하지만 뾰족귀는 빨리 고향으로 돌아갈 생각만 가득했다.

"아~ 그렇군요. 나는 뾰족귀라고 해요. 그런데 나는 최대한 빨리 마을로 돌아가서 이 소식을 알려줘야 해요. 저 먼저 가야 할 것 같네요.”

“음~ 마을이 어디죠?”

“『거친들판』. 우리는 『노란민들레숲』이라는 이름으로 부르고 있지요. 아무래도 『거친들판』이라는 이름이 마음에 들지 않거든요.”

“혹시 해가 뜨는 방향으로 호수 하나 건너고 강을 두 개 건너서 있는 큰 나무가 가득한 숲을 말하는 건가요?”

갈색곰 무지큰발이 뾰족귀의 고향을 알고 있는 듯했다. 뾰족귀는 여기서 꽤 멀리 떨어져 있는 『노란민들레숲』을 무지큰발이 안다고 해서 놀라지 않을 수 없었다.

“어떻게 우리 숲을 아는 거죠?”

“우리 할아버지가 그 숲에서 태어났어요. 이 숲으로 온 건 아빠 때문이거든요. 우리 친척들이 아직도 살고 있을지도 모르겠네요. 혹시 나도 같이 가면 안 될까요?”

무지큰발은 뾰족귀에게 간청하듯 말했다.

“생각보다 멀어요. 아픈 몸으로 갈 수 있겠어요? 나는 지금 무지큰발 씨를 기다려 줄 수 없어요.”

“이래 봬도 이 정도 상처쯤은 아무것도 아니거든요. 사실 말을 안 해서 그렇지 우리 엄마가 몇 년 전에 사냥꾼과 싸울 때도 어린 내가 도와준 적이 있었어요. 엄마는 그때 다친 상처 때문에 죽긴 했지만. 나는 편식도 하지 않고 언제나 운동을 열심히 해서 힘도 좋아요. 뾰족귀 씨에게 부담을 주지는 않을 거예요.”

무지큰발의 말에 뾰족귀는 잠시 고민했다.

"그래요. 그럼 같이 가기로 해요. 그런데 이 숲의 가족들은 어떻게 하려고요?"

뾰족귀의 질문에 무지큰발은 침울한 표정을 짓더니 입을 열었다.

"사냥꾼들에게 사로잡혀갔는데 돌아오지 못하고 있어요."

"누가요?"

"내 친동생인데. 정말 예쁜 녀석이었죠. 이제 나는 여자 친구도 없고 동생도 없어요. 이제는 뾰족귀씨가 내 가족이나 마찬가지예요. 같이 가게 해 줘서 정말 고마워요."

은빛여우 뾰족귀와 갈색곰 무지큰발은 『노란민들레숲』으로 가는 길을 함께 걷기 시작했다. 무지큰발은 이 숲에서 태어나 평생을 살아와서 그런지 주변 지리에 대해서는 뾰족귀보다 자세하게 알고 있었다. 무지큰발은 뾰족귀가 걱정했던 것보다 훨씬 잘 걸었고 오히려 그 덕분에 하루 정도 시간을 단축할 수 있을 것 같았다. 뾰족귀는 이틀째 아무것도 먹지 못했기 때문에 걷는 내내 뱃속에서 끊임없이 꼬르륵하는 소리를 냈다. 그러자 무지큰발은 아무 소리 없이 사라졌다가 큰 물고기 두 마리를 입에 물고 왔다. 무지큰발이 잡아온 물고기는 너무 커서 뾰족귀 혼자 먹기에 너무 컸지만 무지큰발은 한 마리를 통째로 넘겨주었다. 무지큰발은 예상외로 먹을 것을 잘 구해왔다. 특히 물고기를 잡는 실력은 여느 곰들보나 뛰어났다. 다시 며칠을 굶어야 할지 모르기 때문에 뾰족귀는 배가 터질 때까지 물고기를 뜯어먹었다. 그들의 여행이 시작되고 이틀째 되던 날 호수 하나를 돌아서 건넜다. 그리고 사흘째 되던 날, 숲과는 조금 떨어진 바위길로 접어들었다. 여기서부터는 뾰족귀에게 익숙한 지역이었다. 이제부터 3일 정도만 부지런히 움직이면 『노란민들레숲』에 도착할 수 있을 것이다. 집채만 한 덩치의 갈색곰과 조그맣고 예쁘게 생긴 은빛여우의 동행이 나름 어울려 보였다. 그때였다.

"쉿!"

뾰족귀는 촉촉한 코를 벌름거리며 주변의 냄새를 맡았다.

"왜요?"

무지큰발이 물었다.

"근처에서 인간 냄새가 나요!"

"뭐요? 이제 어떻게 하죠? 요즘 인간들은 무시무시한 막대기를 가지고 우리를 죽이고 있어요."

"무지큰발 씨! 그건 총이라고 하는 거예요. 그게 요즘 인간들이 우리 동물들을 사냥할 때 쓰는 물건이라고 하더군요. 인간을 만나면 일단 피해야 해요. 이 근처에 내가 잘 아는 비밀의 장소가 있어요. 거기로 가서 잠시 쉬고 다시 길을 가도록 하죠."

"나야 뭐! 이 지역은 아는 곳이 없으니 뾰족귀씨가 안내해 주는 대로 가겠습니다."

날이 저물자 바람의 방향이 바뀌어 그들의 등 뒤에서 바람이 불어오고 있었다. 그 때문에 이제는 인간들의 냄새를 맡을 수 없게 되었다. 한참을 더 걸었을 무렵 그들의 앞에는 동굴 하나가 나타났다.

"우린 동굴 안에서 쉬면 돼요."

무지큰발은 뾰족귀가 알려준 동굴이 제법 맘에 드는 것 같았다.

"저 동굴은 아버지께서 알려주신 곳인데 우리 동물의 조상들이 무언가를 대대로 전해 내려오는 것이 있다고 했어요. 나는 시간이 날 때마다 이곳에 와서 그것이 무엇인지 찾아보았지만 아직까지 찾아낼 수 없었지요. 입구는 작지만 동굴 안은 엄청나게 넓어요."

뾰족귀는 동굴에 얽힌 이야기들을 해 주었다. 뾰족귀와 무지큰발은 조심스럽게 발걸음을 옮겼다. 혹시라도 동굴 속에 누가 있을지도 모르기 때문이었다. 해가 저물고 있었지만 동굴 밖은 아직 환했다. 둘은 짙은 동굴 속 암흑의 세상 속에 온 몸을 맡겼다.

"어때요?"

뾰족귀가 물었다.

"정말 멋진데요? 기가 막혀요."

무지큰발은 사방을 두리번거리며 동굴 속을 감상했다.

"이 동굴엔 입구가 세 개나 연결되어 있어요. 아버지께서는 입구가 다섯 개라고 하셨지만 나는 아직까지 세 개 밖에 찾아내지 못했어요. 지금 우리가 들어온 입구는 『흰나비가 춤추는 숲』과 연결되어 있고요. 하나는 내가 사는 마을 방향으로 나 있는데 『반짝반짝 돌멩이 마을』 입구로 나가야만 갈 수 있어요. 또 다른 하나는 『산이 비치는 호수가 있는 숲』과 연결되어 있어요. 나머지 두 개는 나중에 다시 찾아보려고 해요."

"그렇군요. 그거 되게 재미있겠네요. 그럼~ 나머지 두 개는 우리가 함께 찾아보면 어때요? 우린 친구니까 내가 도울 수 있어요."

무지큰발은 신이 나는 듯 의기양양한 목소리로 말했다. 둘은 동굴 속의 넓적한 바위를 찾아 엎드렸다. 거기서 잠시 쉰 후 출발하기로 한 것이다.

쿵쿵~ 쿵쿵. 뾰족귀가 갑자기 벌떡 일어났다. 무지큰발은 뾰족귀가 호들갑을 떨자 억지로 일어났다. 무지큰발은 눈을 뜨자마자 코를 벌름거렸다.

"우와~ 맛있는 냄새다!"

무지큰발은 음식 냄새에 신이 났다.

"맛있는 냄새는 맞는 것 같은데. 대체 뭘까요? 처음 맡아보는 냄새 같지 않아요."

뾰족귀가 말했다. 둘 다 코를 벌름벌름~ 쿵쿵거리며 맛있는 냄새가 나는 방향으로 향했다. 『반짝반짝 돌멩이 마을』 쪽 입구에서 냄새가 나고 있었다. 둘 다 배가 고팠는지 오로지 먹을 생각만 가득했다. 한참을 걸어서야 동굴 입구가 보이기 시작했다. 뛰다시피 한참을 걸어 입구 근처에 도착하자 무지큰발이 갑자기 속도를 높이기 시작했다. 그 모습을 본 뾰족귀 역시 무지큰발과 앞서거니 뒤서거니 하며 뛰었다. 무지큰발은 큰 덩치에도 불구하고 생각보다 꽤 빠른 곰이었다. 동굴 입구를 나서자 그들의 눈앞에는 인간 여럿이 모닥불을 피우고 뭔가를 입에 물고 있었다. 그들이 사냥꾼이라는 사실은 확인할 필요도 없었다. 뾰족귀와 무지큰발도 인간을 보고 매우 놀랐지만 인간들 역시 그 상태로 얼어붙은 듯 미동도 하지 않았다. 잠시 후 인간들 중 한 명이 뭐라고 소리를 질렀다. 그러자 인간들은 바쁘게 후다닥 거리며 이리저리 뛰어다녔다. 그때 뾰족귀의 눈에 들어온 것은 사냥꾼의 총이었다.

"도망가요! 어서!"

뾰족귀가 소리쳤다. 그리고 동시에 사냥꾼들의 총소리가 귀를 때리듯 울렸다. 바로 앞에서 들리는 총소리는 천둥소리 같았다. 뾰족귀는 토끼처럼 깡충깡충 뛰며 그곳에서 도망치려고 날뛰었다. 무지큰발은 얼마 움직이기도 전에 사냥꾼들의 총에 뒷다리를 맞았다.

크어어어~ 무지큰발의 비명이 들려왔다. 뾰족귀가 무지큰발을 돌아보았을 땐 무지큰발의 근처에 사냥꾼 세 명이 무지큰발의 공격에 쓰러져 있었다. 뾰족귀는 도망을 치려고 했지만 무지큰발은 곧장 사냥꾼에게 달려들었던 것이었다. 무지큰발이 고통스러운 표정을 하며 뾰족귀에게 다시 소리쳤다.

"도망가! 어서!"

뾰족귀는 다시 동굴 속으로 뛰어들어갔다. 탕! 탕! 뾰족귀는 동굴의 입구에 닿기도 전에 등 뒤에서 천둥소리 같은 총소리를 들을 수 있었다. 그리곤 눈앞이 깜깜 해지는 것 같았고 그대로 바닥을 굴러버렸다. 어딘가 엄청나게 고통스러웠지만 그게 어딘지 알 수가 없었다. 몸을 움직일 수도 없다. 뾰족귀의 눈앞에는 동굴의 시기면 입구가 보였다. 동굴 앞쪽으로는 인간들이 피워 놓은 모닥불이 이글거리며 만들어진 불꽃 그림자들이 미친 듯이 춤을 추고 있었다. 사냥꾼의 그림자가 보였다. 사냥꾼이 뾰족귀에게 다가오고 있었다. 무지큰발은 이미 죽었는지 아무 소리도 들리지 않았다. 그림자도 보이지 않았다.

'아~ 이제 끝났구나. 내 아이들. 내 아내. 미안해! 사랑해!'

뾰족귀는 이제 사냥꾼에게 가죽이 벗겨질 것을 상상하니 오싹했다. 차라리 빨리 죽는 게 나을 것 같았다. 뾰족귀는 눈을 질끈 감아버렸다. 겁이 났다. 체념을 한 상태지만 천둥소리를 가진 총을 가진 사냥꾼을 상상하고 있었다. 사냥꾼은 총으로 뾰족귀의 몸을 뒤집었다. 뾰족귀는 아직 눈을 뜰 수가 없었다. 죽은 척을 하고 있어야 할까 싶기도 했다. 너무 무서웠다. 무섭지 않다고 하더라도 이미 의식이 흐려지는 것을 알 수 있었다. 이제 자신의 생명은 거의 꺼져가고 있다는 것을 알고 있었다.

"아! 이 여우는…… 그때!"

사냥꾼은 뾰족귀를 안아 들고 뾰족귀의 몸 이곳저곳을 확인했다.

"너는 내 친구 은빛여우잖아. 내가~ 내가~ 내 생명의 은인인 너를 내 손으로 죽인 거야. 이건 말도 안 돼! 난 그저 널 만날 수 있을 거라는 생각만으로 여길 찾아온 건데. 내가 널 죽였단 말이야. 이건 말도 안 돼! 난 은빛여우일 거라고는 생각지도 못했단 말이야!"

사냥꾼의 울부짖는 소리가 동굴 끝까지 울려 퍼졌다.

한스였다. 9살 꼬마는 21살의 청년이 되어 돌아왔다. 그런 그가 부모님을 잃은 자신을 구해 준 은빛여우 뾰족귀를 죽이고 말았다. 한스는 고통스러운 마음에 가슴이 찢어지는 듯했다. 그 동굴은 바로 늑대로부터 부모님을 잃었던 바로 그 동굴이었던 것이다.

*

　좀 놀랐죠? 많이 슬픈 이야기지만 나는 이제 참을 수 있어요. 아빠는 정말 멋진 분이셨어요. 한스는 실수로 아빠를 죽게 했어요. 하지만 지금은 용서했어요. 아무튼 그 이야기는 나중에 하기로 하고요. 한스는 12년이나 지나서 다시 돌아왔어요. 그런데 진짜 착하고 귀여웠던 한스의 모습이 아니었어요. 한스는 사냥꾼 중에서도 악명 높은 사냥꾼이 되어서 돌아온 거예요. 특히 한스는 늑대 같은 무서운 동물을 제일 잘 잡는 사냥꾼이었어요. 우리 아빠가 한스와 인연이 있었던 것은 맞지만 악연이었던 것 같아요. 이유야 어쨌든 한스는 우리 가족에게서 아빠를 빼앗아간 장본인이었으니까요. 그런데 무지큰발은 어떻게 되었을까요? 무지큰발은 죽지 않았어요. 한스는 아빠를 땅에 묻어주고 무지큰발을 어떻게 해야 할지 고민을 하고 있었는데 무지큰발이 죽지 않고 기절한 것을 알게 되었어요. 엄청 무서웠겠죠? 어마어마한 덩치를 가진 무지큰발이 깨어나기라도 한다면 한스는 피할 겨를도 없이 죽임을 당할 수도 있으니까요. 무지큰발을 살피던 한스는 무지큰발의 등에 꽂힌 나무토막을 보고 놀라지 않을 수가 없었어요. 사실 그건 나무토막이 아니고 칼의 손잡이였던 거예요. 아빠는 인간들의 칼을 직접 본 적이 없었기 때문에 무지큰발의 어깨에 꽂힌 칼의 손잡이를 나무토막이라고 생각했던 거예요. 한스는 무지큰발의 등에서 힘을 주어 칼을 빼냈어요. 한스는 그 칼을 보고 다시 한번 크게 놀랐어요. 그 칼은 바로 한스의 아빠가 가지고 있던 칼이었어요. 그 칼이 어떻게 무지큰발의 등에 꽂혀 있었는지 한스는 정말 이해할 수 없었어요. 설마, 설마 하면서 칼을 이리저리 살펴보았지만 한스는 어릴 때부터 아빠의 칼을 자주 보아왔기 때문에 정확히 기억하고 있었어요. 아빠의 칼이 확실했죠. 한스는 일단 무지큰발의 상처들을 치료하기 시작했어요. 무지큰발은 정신을 잃은 상태에서 깨어나질 못했어요. 한스는 무지큰발의 상처를 치료한 뒤 길을 떠나려 했어요. 무지큰발이 정신을 차리는 것을 보고 한스는 기겁을 했지만 무지큰발은 너무 아파서 눈동자 외에는 전혀 움직일 수 없었어요. 한스도 그걸 알 수 있었나 봐요. 한스는 안도의 한숨을 쉬고 길을 떠났어요. 몸을 움직일 수 없었던 무지큰발은 한스를 이상하게 쳐다봤어요. 사실 무지큰발은 한스가 자신을 치료해 주는 걸 알고 있었어요. 몸이 움직이지 않아서 가만히 있었을 뿐이었죠. 무지큰발은 한스의 모습을 정확히 기억했어요. 냄새까지 전부 말이죠. 다른 인간들은 어떻게 됐냐고요? 모두 무지큰발의 앞발에 맞아서 그 자리에서 죽어버린 줄 알았지만 한스가 그중 한 명을 부축해서 데리고 갔어요. 살아남은 사냥꾼은 한스가 무지큰발을 치료해 준 사실을 알지 못했어요. 기절한 상태였으니까요. 아무튼 한스는 살아남은 사냥꾼과 무지큰발을 모두 구해주었어요. 우리 아빠 뾰족귀만 빼고요.

4화 - 사냥꾼 마을

　지금까지 우리가 사는 시베리아에서 벌어진 무서운 이야기만 했네요. 사실 시베리아는 그렇게 험악한 곳이 아니에요. 16세기 당시만 해도 동물들에겐 지옥 같은 곳이었지만 지금은 안정이 돼서 인간과 동물이 제법 잘 어울려 살아가고 있어요. 그래서 이제부터는 아름다운 시베리아 이야기를 해 주려고 해요. 아마 전 세계에서 시베리아만큼 멋지고 광활한 땅은 없을 거예요. 겨울이면 꽤 춥기는 해도 우리 동물들에게는 살기 좋은 곳이거든요. 물론 털이 없는 인간들 입장에선 추위를 극복하며 살기에는 힘든 땅이긴 해요. 인간들이 잘 모르는 게 있어요. 시베리아라고 해서 모두 춥고 배고픈 땅은 아니에요. 너무 광활한 지역이라 착각할 순 있죠. 그래서 시베리아에서도 너무 춥지 않은 곳에는 인간늘이 마을을 형성해서 살기도 하죠. 오래전 인간들은 계절에 따라서 살기 좋은 곳으로 이사를 다니는 유목생활을 했어요. 그건 동물들도 마찬가지예요. 추위는 그럭저럭 버틸 수 있겠지만 먹을 게 없어서 좀 더 따뜻한 곳으로 이동을 해야만 하는 거예요. 유목생활을 하는 인간들은 당연히 동물들이 사는 곳을 따라 이동했어요. 우리 아빠. 그러니까 뾰족귀라는 이름으로 불렸던 은빛여우는 인간들이 전과 달리 이상해졌다고 생각했어요. 예전에 알던 인간들은 키가 작고 갈색 피부였는데 덩치가 크고 피부가 흰 인간들이 나타났기 때문이에요. 다만 아빠는 그들이 다른 종족이라는 것을 몰랐을 뿐이었어요. 사실 크게 다른 건 없어요. 단지 생긴 게 조금 다른 것뿐이죠. 그런데 인간들은 단지 조금 다르게 생겼다고 서로 싸우고 무시한다고 들었어요. 좀 바보 같다는 생각이 들어요. 시베리아에서는 흰색곰과 갈색곰이 서로 다르다고 해서 싸우거나 미워하지는 않거든요. 여우들도 마찬가지예요. 은빛여우와 갈색여우는 옛날이나 지금이나 친하게 지내고 있어요.

　얼마 전까지만 해도 시베리아에는 몽골계 아시아인이 유목생활을 하고 있었어요. 우리 은빛여우들은 그들과 친밀하게 지내는 편이었죠. 그들은 사냥을 해도 필요한 만큼만 했고 동물을 죽이게 되면 동물들의 영혼이 편안하게 쉬게 해 달라며 기도를 했어요. 게다가 인간들과 가까운 관계를 하고 있던 개라는 동물은 시베리안 허스키라는 이름으로 불리고 있었어요. 시베리안 허스키는 늑대와 먼 친척 관계인데 지금은 사이가 좋지 않아요. 늑대들은 시베리안 허스키에게 인간에게 빌붙어서 먹고사는 용기도 없는 가축 같은 동물이라고 비웃곤 하죠. 반면에 시베리안 허스키들은 늑대를 약한 동물이나 인간을 괴롭히는 나쁜 동물이라고 해요. 원래는 같은 종족이었는데 서로의 관점이 달라진 거예요. 혹시 인간들도 피부색이 다르다고 해서 늑대와 허스키처럼 어리석은 생각을 하고 있는 건 아닐까요? 저희 동물들은 어쨌든 옛날부터 시베리아에 살던 인간들에게 대응할 방법이 없었어요. 동물들을 마구 잡아 죽이는 폭력적이고 파렴치한 인간들은 무서운 존재가 되고 말았어요. 눈빛만 봐도 무시무시한 시베리아 호랑이조차도 인간들의 총을 무서워했을 정도였으니까요. 그땐 정말 천둥소리 같은 무시무시한 총소리가 날 때마다 동물들이 쓰러져 갔어요. 동물들은 인간이 나타나면 무조건 도망쳐야만 했어요.

인간들이 이상하게 변하기 전까지만 해도 인간은 동물과 함께 뛰어 놀기도 했어요. 특히 인간 아이들이 동물과 숲에서 뒹굴고 노는 게 이상하지도 않았죠. 이제는 아련한 추억이 되고 말았네요. 저도 옛날의 순박하던 인간들이 그리워요.

우리 형제도 함께 놀던 인간 아이가 몇 명 있었어요. 그런데 흰 피부를 가진 인간들이 나타난 이후로 어딘가로 떠나 버렸어요. 벌써 그립네요. 그 시절이 말이에요. 숲에서 불이 나고 동물들이 죽어갈 무렵 흰색 피부를 가진 인간이 러시아라는 곳에서 온 인간의 다른 종족이라는 걸 알게 됐어요. 아무튼 그때부터 러시아 종족이 몽골이란 종족의 원주민들을 시베리아에서 더 이상 살지 못하게 쫓아냈어요. 원주민들은 수천 년의 세월 동안 살아온 그들의 고향을 빼앗겨 버린 거라더군요. 러시아 인간들은 원주민들이 키우던 시베리안 허스키를 데려다 살기 시작했어요. 그들은 시베리안 허스키가 끌어주는 원주민의 눈썰매가 부러웠던가 봐요. 그런데 시베리안 허스키들이 러시아 종족의 말을 들어주지 않았어요. 그들은 허스키가 그저 바보 같은 동물이라고 생각했던 것 같아요. 허스키들은 위계질서가 잡혀 있는 녀석들인데 러시아 종족은 그걸 몰랐던 거죠. 사실 허스키들은 늑대처럼 대장 허스키가 있어요. 인간과 가족처럼 살아왔던 허스키들이 폭력적인 러시아 사냥꾼들을 위해 썰매를 끌어줄 리가 없었죠. 러시아 종족은 허스키들에게 채찍질을 했어요. 정말 잔인했지만 허스키들은 용감하고 고집이 센 녀석들이거든요. 채찍질에 맞아서 가죽이 벗겨져도 절대 썰매를 끌어주려고 하지 않았어요. 심지어 허스키들은 인간들이 묶어 놓은 줄을 끊고 울타리 밑을 파서 도망을 치기도 했어요. 얼마나 영리한지 어떻게 묶어도 탈출하는 허스키는 『탈출의 명수』라고 불렸어요. 허스키들은 사랑을 모르는 그런 인간들과 함께 사는 게 싫었나 봐요. 어떤 허스키는 원주민이 그리웠다고 하더라고요. 또 어떤 허스키 녀석은 몇 년 동안 원주민을 찾아다닌 끝에 엄청나게 먼 곳에서 다시 만난 적도 있대요. 정말 대단한 녀석들이에요. 다행히 지금은 러시아 종족도 그 녀석들을 사랑으로 대해 주어야 한다는 걸 알고 있어요. 그래서인지 요즘 시베리안 허스키들은 러시아 종족과 가족처럼 지내고 있다고 들었어요.

*

"얘들아! 너희는 배가 좀 고프긴 해도 자유로운 게 좋니? 아니면 배부르고 편안하지만 조금은 답답한 공간에서 사는 게 좋니?"

들소들은 의견이 많았어요. 어떤 들소는 배부르게 먹는 게 더 좋다고 했고 어떤 들소는 넓은 들판을 실컷 뛰어다니면서 자유롭게 사는 게 더 좋다고 했죠. 또 어떤 들소는 이렇게 말했어요.

"자유로운 게 좋기는 한데 가끔은 외롭기도 하고 여자 친구도 사귀지 못하고 결혼도 못해서 괴로워하는 들소들도 있잖아. 나도 여자 친구가 없어서 부럽기도 해. 그래서 자유가 조금 억압되더라도 편안하고 배부르게 먹고 여자 친구도 만들어 준다면 나는 조금은 답답해도 괜찮을 것 같아."

그 말을 들은 들소들은 잠시 생각을 하더니 환호하며 동의했어요. 그리고 또 다른 들소가 말했어요.

"그까짓 자유쯤이야 욕구만 채울 수 있다면 어느 정도는 포기해도 괜찮아."

들소들은…… 아니 외로웠던 들소, 배고팠던 들소, 사는 게 힘들었던 들소들은 다른 들소들을 설득하기 시작했어요. 귀가 얇은 들소들은 쉽게 설득 당해 이미 마음이 기울었어요. 대부분의 들소들 역시 비슷한 고민을 했어요. 어떤 들소들은 좋은 집과 많은 음식을 제공받기로 하고 의심이 많은 들소들을 꼬시기도 했어요. 들소들 대부분이 자유보다는 편안함을 선택했어요. 몇몇 들소들은 자유를 포기하면 안 된다면서 다른 들소들에게 신중하게 생각해보라고 설득했지만 그렇게 말했던 들소들 역시 무리의 대세를 거스를 수는 없었어요. 외톨이가 되고 싶지는 않았거든요. 어떤 들소는 그런 것을 『시류』라고 했어요. 들소들을 설득하는데 앞장섰던 들소들 중에 어떤 녀석들은 들소 선생님이라 불렸어요. 들소 선생님은 들소들의 앞에 서서 항상 큰 목소리로 말했어요. 그런데 들소 선생님은 자기들이 누구의 의지에 의해 움직이는지 몰랐어요. 언젠가부터 들소 선생님은 착한 들소들을 우습게 생각하기 시작했어요. 의심 많고 불평이 많은 들소들은 마을에서 쥐도 새도 모르게 사라졌어요. 누구도 그 들소들이 어디로 떠났는지 알지 못했어요. 들소 마을이 조용해지자 들소들은 배불리 먹고 편하고 깨끗한 집에서 언제나 원하는 대로 사랑하며 살았어요. 편하기는 했지만 영혼이 사라진 삶에 만족하면서 살기 시작했어요. 그런 삶은 생각보다 오래가지는 못했어요. 들소들은 벌써 자유가 그리워지기 시작한 거예요. 너른 들판에 뛰어놀고, 호수에서 수영하고, 위험하긴 하지만 늑대, 사자, 표범에게 들소들이 힘을 모아 싸우던 모험의 시대가 그리워졌어요. 어린 들소들은 자유를 경험했던 어른 들소들의 삶을 전혀 알지 못했어요. 그저 엄마, 아빠, 할머니, 할아버지께서 말씀해 주시는 옛날 옛적 이야기라고 알고 있었어요. 어린 들소들은 이해할 수 없었어요. 엄마 아빠가 된 들소들은 안전하고 배불리 먹을 수 있는 이곳을 떠나 온갖 수많은 위험이 도사리고 있는 바깥세상에 어린 들소들을 풀어 둘 자신도 없었어요. 보나 마나 늑대나 사자에게 잡혀서 죽을 게 뻔했어요. 자유가 그리웠지만 위험에 대한 두려움이 마주했어요. 결과에 대한 책임이 뒤따를 것이 분명한데 너무 부담스러웠어요. 들소들은 그냥 현실에 만족하며 살고 싶어 졌어요.

*

이 이야기는 시베리아가 아닌 멀리 아프리카 동물들 이야기예요. 우리 시베리아까지 전해온 거죠. 우리 시베리아에도 비슷한 이야기가 있어요. 멧돼지 이야기, 시베리안 허스키 이야기가 아프리카 들소 이야기와 비슷해요. 이미 집돼지가 되어버린 멧돼지 녀석들은 이젠 완전히 바보가 되어 버렸지만, 시베리안 허스키들은 그래도 영리한 녀석들이라 그런지 아직 늑대들과 비슷한 성향이 있어요. 물론 친척 관계이면서도 늑대들은 여전히 허스키들을 무시하고 허스키들은 늑대들을 경멸하고 있죠. 제가 보기에는 멧돼지나 허스키 둘 다 먹는 걸 너무 좋아하는 것 같아요. 그래서 인간들에게 꼭 붙어서 살고 있는 것 같아요. 아마도 그 녀석들은 인간과 떨어져서는 살지 못할 거예요.

우리 마을에는 인간의 마을. 즉, 사냥꾼 마을에서 도망쳐 나온 동물이 둘이나 있어요. 제 친척인 왼쪽눈만검둥이와 시베리안 허스키 화들짝이예요. 이미 왼쪽눈만검둥이 이야기는 먼저 간단히 설명한 적이 있죠? 화들짝이라는 녀석은 사냥꾼들에게 도망쳐 나온 후 숲 속을 헤매다 우리 마을까지 오게 됐어요. 얼마나 겁이 많은지 잠을 자다가도 화들짝 놀라는 게 너무 심해서 그런 이름을 지어 줬어요. 사냥꾼들에게서는 『피티』라는 이름으로 불렸었다는데 자기는 그 이름이 너무 싫대요. 화들짝은 사냥꾼의 썰매를 끌고 어딘가로 사냥을 떠났었대요. 썰매를 끌던 허스키는 8마리였는데 사냥꾼은 거친 눈보라 때문에 동료들과 헤어졌고, 며칠 동안 계속되는 폭설로 눈썰매조차 이동이 힘들게 되었대요. 밤과 낮이 열 번 넘게 바뀐 후에야 폭설은 그쳤지만 사냥꾼은 너무 많은 눈이 내려 어떻게 해야 할지 몰랐던 것 같았대요. 이미 며칠째 아무것도 먹지 못했던 사냥꾼은 제일 힘이 약했던 화들짝의 엄마를 잡아먹었대요. 그리고는 허스키들에게도 화들짝의 엄마를 먹으라고 주었대요. 하지만 어떤 허스키도 절대 그럴 수는 없었겠죠. 절대로 말이에요. 허스키들은 배가 고파도 참았대요. 어느 날 갈색곰이 나타나 사냥꾼을 위협하자 허스키들은 사냥꾼을 돕기 위해 함께 싸우려 했어요. 하지만 썰매에 묶인 허스키들은 갈색곰에게 대항조차 할 수 없었대요. 배가 고팠던 갈색곰에게 허스키세 마리가 죽었는데 그중 화들짝의 아빠도 있었대요. 화들짝의 아빠는 허스키들의 대장이었어요. 화들짝 아빠는 사냥꾼에게 의리 같은 것은 남아있지 않다면서 살아남은 허스키들에게 탈출하라고 했어요. 갈색곰은 사냥꾼의 총에 맞아서 도망갔지만 사냥꾼 역시 다리를 크게 다쳐서 꼼짝도 할 수 없었대요. 허스키들은 고통에 신음하는 사냥꾼 몰래 서로의 몸에 이어진 끈을 물어뜯기 시작했어요. 탈출의 명수라는 허스키들의 별명은 괜히 지어진 게 아닌것 같아요. 허스키들은 서로의 몸이 완전히 풀린 것을 확인하고는 사냥꾼에게서 멀리 뛰어 도망치기 시작했어요. 사냥꾼은 허스키들을 소리쳐 불렀어요. 돌아오라고 말이죠. 허스키들은 사냥꾼이 그들을 가족이라고 생각하지 않는다는 것을 알게 됐고 뒤도 돌아보지 않고 뛰었어요. 사냥꾼이 어땠는지 아세요? 허스키는 사냥꾼이 쏜 총에 맞아 쓰러져 갔어요. 화들짝 혼자만 간신히 살아서 도망쳐서 우리 숲으로 온 거예요. 그렇게 해서 『노란 민들레 숲』의 식구가 되었어요. 화들짝은 지금도 잠을 자다가 무슨 소리만 들리면 화들짝 하고 놀라죠. 잠을 깨면 벌떡 일어나서 주변을 두리번거리고 혼자서 울다

가 잠이 든답니다.

5화 - 한스

　얼마 전에 『노란 민들레 숲』에서 그리 멀지 않은 곳에 커다란 사냥꾼 마을이 생겼어요. 『반짝반짝 돌멩이 마을』에 사냥꾼의 마을이 생긴 거예요. 그건 우리 아빠인 뾰족귀의 영혼이 마지막 숨을 쉬었던 곳이에요. 근처에 살던 동물들은 사냥꾼들을 피해서 멀리 다른 숲으로 모두 도망쳤어요. 그중 일부는 우리 숲에도 숨어들었어요. 조용했던 우리 숲이 시끌벅적하게 변했죠. 좋은 점도 있고 나쁜 점도 있긴 해요. 작은 동물들은 사냥꾼이 있어도 피해 보는 게 없어서인지 쭉 머물기로 한 것 같았어요. 사냥꾼들은 대체로 큰 동물만 사냥하는 편이었거든요. 무슨 일인지 다람쥐들은 우리 숲으로 오지 않았어요. 하지만 동물들의 수가 줄어들자 사냥꾼들은 닥치는 대로 잡아갔어요. 작은 동물이라고 봐주는 법이 없었죠. 정말 악랄한 인간들이에요.

천 년 이상 산불 한번 난 적 없는 아름다운 숲이다. 아름드리 침엽수는 키가 하늘만큼 높다. 나무 둥치는 몸집이 커다란 갈색곰이 숨어도 보이지 않는다. 이슬도 마르지 않은 이른 아침, 멀리서 은빛여우 한 마리가 수풀을 헤치며 급히 뛰어가고 있다. 그 바람에 웅크린 채 똥을 누던 토끼가 깜짝 놀라 짧은 앞발을 세우며 일어섰다.

"저 녀석 아침부터 뭐가 그리 바쁜 거야? 똥 누다 까무러칠 뻔했네~"

토끼는 투덜거리다 다시 힘을 주었다. *끄응~* 동글동글한 토끼 똥이 투두둑 바닥에 떨어졌다. 은빛여우는 얼마나 빠른지 꼬리조차 보이지 않았다. 얼마 후 은빛여우보다 더 빠른 속도로 뛰는 두 마리의 동물이 나타났다. 그들 역시 은빛여우와 같은 방향으로 뛰어갔다. 귀가 쫑긋 서 있는 시커먼 색의 개다. 시베리아에서는 원래 볼 수 없는 개다. 사냥꾼들이 가끔씩 개를 데리고 사냥을 다니긴 했는데 이번에 나타난 개는 예사롭지 않게 생겼다. 대충 보아서는 동물을 추적하는 능력이 있을 것 같지는 않아 보였다. 하지만 뛰는 속도는 은빛여우 버금가는 것 같았다. 숲에서 달리기 실력에 있어 은빛여우는 둘째가라면 서러워할 녀석들인데 두 마리의 개들은 은빛여우 만큼이나 빠른 속도로 달리고 있다는 건 숲 속 동물들이 봐도 놀랄 일이었다. 지금 은빛여우가 두 마리의 개보다 빠른 이유가 있다면 개들보다 영리하고 숲의 지형을 잘 알고 있다는 것 때문이다. 토끼는 똥을 누다 말고 숨을 죽였다. 개들에게 발각이라도 되는 날엔 오늘이 마지막으로 똥을 누는 날이 될 거라는 걸 알고 있었던 거다. 개들의 소리가 멀어진 후에야 토끼는 긴 안도의 한숨을 내쉬었다. 그것도 잠시였다. 아직 꽤 멀리 있지만 부스럭거리는 소리가 들린 것이다. 토끼는 인간의 냄새를 코끝으로 느낄 수 있었다. 토끼는 두려움에 몸을 떨기 시작했다. 사냥꾼들은 동물이 보이기만 하면 즉시 총을 쏘아 죽였다. 토끼는 똥 누는 것을 포기하고 땅굴 속으로 조심스럽게 기어갔다. 사냥꾼에게 발각되면 그다음은 상상도 할 수 없다. 토끼는 얼마 전 사냥꾼이 동물을 총으로 쏘아 죽인 후 어떤 짓을 하는지 본 적이 있다. 토끼는 사냥꾼의 냄새를 더 이상 맡을 수 없을 때까지 부들부들 떨었다. 그 외에 할 수 있는 것이라곤 아무것도 없었다.

엉덩이가 동그랗게 생긴 예쁘장한 은빛여우가 나뭇잎을 뚫고 들어오는 아침 햇살 아래 꼬리를 감고 엎드려 있었다. 그런데 숲 속에서부터 미친 듯이 달려오는 아직 다 성장하지 못한 은빛여우의 모습이 들어왔다.

'이 녀석 또 무슨 사고를 치고 오는 거야?'

은빛여우는 생각했다.

"엄마! 어서 뛰세요!"

달려오던 은빛여우가 소리쳤다.

"왜? 무슨 소리야?"

엄마 여우 역시 소리쳤다.

"사냥꾼이 따라와요. 처음 보는 무섭게 생긴 개도 두 마리나 있어요. 같이 뛰면서 설명할게요."

영문을 모르는 엄마 여우는 아들 여우가 가까이 오기를 기다렸다가 함께 뛰기 시작했다.

"형이 인간에게 잡혔어요. 올가미에 발이 걸려서 꼼짝도 못 해요. 저는 사냥꾼들을 사냥꾼 마을 방향으로 유인할 테니까 엄마는 형을 구해 주세요. 형은 아빠의 그 동굴 근처에 있어요. 동굴로 가다 보면 형이 보일 거예요."

"그래! 알았다. 조심해 태니야."

엄마 여우는 아들 여우 태니가 헐떡거리며 하는 설명을 들으며 심장이 멈추는 듯한 충격을 받았다. 잠시 다리에 힘이 풀리는 듯했지만 순간적으로 정신을 잡았다.

"네, 엄마! 엄마도 조심해야 해요. 그리고 형을 꼭 구하셔야 해요!"

엄마 여우는 사색이 된 표정을 하고 있었지만 큰 아들 걱정에 침착함을 유지하려 했다. 두 은빛여우는 양쪽으로 갈라져 다른 길로 뛰어갔다. 엄마 여우는 태니보다 훨씬 빠르다. 만약 태니가 완전히 성장한 여우였다면 엄마 여우보다 훨씬 빠른 속도로 달려 사냥개들을 따돌렸을지도 모른다.

사냥개들은 여전히 태니를 추격하고 있다. 영특한 태니는 어릴 때 아빠에게 흔적을 지우는 방법을 기억해 냈다. 사냥개들을 따돌리는 가장 좋은 방법은 역시 물을 건너는 것이다. 다행히 지금은 추운 겨울이 아니어서 물에 들어가도 위험하지 않다. 태니와 사냥개의 거리는 이제 거의 일 분 정도가 되지 않는다. 태니는 어떻게든 최대한 빨리 사냥개의 추적을 따돌려야만 했다. 호수에 도착한 태니는 망설임 없이 호수에 몸을 던져 헤엄치기 시작했다. 최대한 빨리 호수를 이용해 흔적을 없애야한다. 태니는 호수를 건너지 않고 물가를 따라 옆으로 이동했다. 그리고는 한참을 돌아 호숫가로 올라 다시 숲으로 뛰어들었다.

역시 사냥개들은 태니의 계획대로 호숫가에서 빙빙 돌기 시작했다. 은빛여우 태니의 냄새를 맡으려 킁킁거렸지만 흔적은 끊어지고 없었다. 한참이 지나 두 명의 사냥꾼이 호숫가에 도착했다.

"또 놓치고 말았네. 얼마나 영리한지 참 내~ 도통 잡을 수가 없군. 어지간해서는 덫에도 걸리지를 않으니 말이야."

한 사냥꾼이 돌부리를 차며 투덜댔다.

"자넨, 그래도 지난달에도 한 마리 잡았지 않나. 난 지금 몇 달 동안 은빛여우 꽁무니만 쫓고 있다니까. 차라리 그 시간에 수달이나 잡는 게 나을 것 같아."

"무슨 소리~ 수달 백 마리 잡아도 은빛여우 다리 가죽 하나 가격만도 못한데. 난 지난달 잡은 은빛여우 덕분에 가족들에게 큰 소리 펑펑치고 산단 말일세."

"어휴~ 부럽구먼. 나도 한 마리 잡아야 할 텐데. 여기 시베리아 동물들은 도대체 종잡을 수가 없어. 다른 여우들 같은 경우엔 이렇게 어렵게 사냥한 적이 없는데 말이야. 아무튼 은빛여우는 찾아내기도 힘들고 대체 얼마나 빠른지 몰라. 일단은 이 숲에 살고 있는 것을 확인했으니 어떻게든 잡아야지. 그나저나 이거 잡으면 나랑 반씩 나눠 갖기로 한 약속 꼭 지켜야 해!"

"당연하지. 이 친구야!"

두 사냥꾼은 호숫가에서 서서 한참을 두리번거리다 다시 숲으로 들어갔다.

"그런데 이 숲에는 어찌 동물들이 하나도 보이지 않는 걸까? 동물들이 살지 않는 건 아닐 텐데 말이야. 보통 다른 숲에는 한두 마리라도 눈에 띄었는데 말이야."

"나도 그 점이 이상한데. 은빛여우가 있는 숲엔 동물이 그다지 보이지 않더라고. 누가 그러던데. 은빛여우가 있는 숲은 은빛여우가 대장 노릇을 한다나 봐. 그리고 그 근처에는 호랑이도 없다고 하던데. 자네 말을 듣고 보니 호랑이 가죽보다 은빛여우 가죽이 더 비싼 게 이해가 돼. 호랑이는 덩치도 크고 맹수지만 은빛여우보다 잡기 쉽잖아."

"하긴. 그뿐인가? 호랑이는 가죽도 무겁고. 내가 봐도 은빛여우 털이 더 고급스럽지. 예쁘지 않나. 나도 내 마누라에게 은빛여우 가죽으로 옷 하나 해 주면 좋겠다는 생각도 들던데 말이야."

"우리 같은 서민이 무슨…… 옷 아니라 목도리 하나, 아니 장갑 하나라도 가죽으로 해 주면 좋겠네."

"어휴~ 됐네. 됐어~ 돈 못 벌어 온다고 구박이나 안 당하면 다행이지. 꿈같은 소리는 하지도 말고 그냥 다람쥐 가죽이면 돼. 그걸로 충분히. 우리 같은 사람들은……"

두 사냥꾼은 허탕을 친 것이 분하기라도 한 지 터덜터덜 걸어갔다.

"덫이나 확인하러 가세나~ 뭐라도 한두 마리 걸려 있지 않겠어?"

"하긴 거긴 매일 뭐라도 잡히니까 오늘 밥값은 하겠지."

두 사냥꾼은 힘 빠진 걸음으로 덫을 향해 가기 시작했다.

동굴 입구. 은빛여우 두 마리가 무언가를 열심히 물어뜯고 있다. 한 마리는 아까 태니와 반대방향으로 뛰어갔던 엄마 은빛여우다. 동물의 가죽으로 만들어진 덫은 엄마 은빛여우의 날카로운 이빨로도 쉽게 잘리지 않았다.

"손이야. 아프지? 조금만 참아. 엄마가 빨리 끊어 줄게."

손이는 괜찮다고 말고 싶었다. 사실 사냥꾼이 언제 올지도 모르는 데다 시큰거릴 정도로 아픈 다리 때문에 입도 떨어지지 않았다. 손이는 발목에 걸린 올가미를 오로지 엄마 여우에게 맡기는 수밖에 없었다.

"이제 절반 정도 남았으니까 조금만 더 물어뜯으면 끊어질 거야. 아파도 좀 참아."

손이의 발목은 이미 피부가 찢어져서 털과 피가 올가미에 함께 엉겨 붙어 있었다. 게다가 엄마 여우의 침까지 섞여 진득진득하고 피 냄새가 주변까지 멀리 퍼져 있었다. 엄마 여우의 얼굴에도 태니의 피와 침이 잔뜩 엉겨 붙었다. 올가미가 얼마나 질긴지 엄마 여우의 잇몸에서도 피가 나오기 시작했다. 엄마는 사냥꾼이 나타나기 전에 어떻게 해서라도 손이를 구해 도망쳐야 한다는 생각뿐이었다. 평소 같으면 주변에 누가 나타나더라도 냄새나 소리로 쉽게 알아채고 대비할 수 있겠지만 지금은 코나 귀는 물론이고 온 정신이 올가미를 끊는 데 집중한 상태라 무방비 상태나 마찬가지였다. 누군가를 감시하는 것은 오로지 손이의 몫이다. 하지만 손이는 귀를 쫑긋 세웠음에도 불구하고 고통과 두려움 때문에 아무 소리도 듣지 못했다. 아니나 다를까 어느새 멀리서 인간의 모습이 보였다. 손이는 심장이 멎어버리는 듯했다. 그것도 잠시 뿐이었다. 심장이 미친 듯이 쿵쾅거리기 시작했다.

"엄마~ 엄마! 저기 사냥꾼이……"

엄마 여우는 올가미를 물어뜯다 말고 킁킁거리며 벌떡 일어났다. 코보다 눈이 먼저 사냥꾼을 발견한 갓이다. 그만큼 사냥꾼이 가까이 온 것이다. 사냥꾼 역시 은빛여우를 발견한 게 분명했다. 두 은빛여우는 사냥꾼의 걸음이 빨라지는 것을 알 수 있었다. 손이와 엄마 여우는 더이상 어찌할 방법을 생각해내지 못했다.

"엄마! 엄마! 도망가요. 저는 신경 쓰지 마세요. 엄마라도 빨리 도망가야 해요. 사냥꾼이 총을 쏘기 전에 빨리요."

손이가 소리쳤다.

"안돼! 그럴 수 없어. 엄마가 지켜줄 테니까 걱정하지 마. 엄마가 우리 손이를 지켜줄 거야. 엄마는 절대로 손이를 두고 혼자 도망가지 않아. 절대로!"

엄마 여우는 온몸에 힘을 잔뜩 주며 사냥꾼을 노려보았다. 엄마 여우의 털이 모두 곤두섰다. 엄마 여우는 사냥꾼의 총이 두려웠지만 절대로 손이를 두고 갈 수 없었다. 사냥꾼이 손에 총을 들고뛰기 시작했다. 손이는 너무 무서워서 다리의 모든 힘이 풀린 것 같았다. 다리가 후들거리고 있었다. 엄마 여우도 무섭기는 마찬가지였지만 손이를 지켜야만 했다. 사냥꾼은 혼자였다. 엄마 여우는 있는 힘을 다한다면 혹시라도 사냥꾼을 이길 수도 있지 않을까 하는 생각이 들었다. 조금이지만 힘이 났다. 손이는 용기를 쥐어 짜내고 있었다. 이미 덫에 걸린 발목의 통증은 잊은 지 오래다. 사냥꾼은 벌써 은빛여우들 앞에까지 다가왔다. 그런데 어쩐 일인지 사냥꾼은 손에 들고 있던 거두었다. 사냥꾼은 총을 등에 메더니 상체를 수그렸다. 그리곤 뭔가를 들고 좌우로 몸을 움직이기 시작했다. 엄마 여우는 사냥꾼의 동작에 집중하며 몸의 방향을 바꿨다. 사냥꾼이 오른발을 옮기면 엄마 여우도 사냥꾼의 방향으로 조금씩 이동했다. 사냥꾼의 움직임에 따라서 대응할 생각이었다. 그러나 걱정되는 것이 있었다. 사냥꾼이 혼자라는 사실이다. 엄마 여우는 사냥꾼들이 대체로 여럿이 행동하고 있다는 것을 알고 있었다. 엄마 여우는 근처에 사냥꾼이 더 있을 것이라고 확신했다. 어떻게든 사냥꾼이 더 모여들기 전에 손이를 구출해야 한다. 게다가 이 사냥꾼은 다른 인간들보다 덩치도 크고 힘도 훨씬 강해 보였다. 사냥꾼은 총도 등에 멘 채다. 만약 그가 총을 꺼내어 든다면 어떻게 해야 할지 대책이 없다. 그저 총을 물어뜯는 수밖에 없다. 엄마 여우는 사냥꾼보다 먼저 공격하는 것만이 손이를 구하는 유일한 방법이라고 생각했다. 엄마 여우는 사냥꾼이 발을 옮기는 순간 펄쩍 뛰어올랐다. 사냥꾼의 손목을 물어뜯기 위해서다. 손목을 다치면 적어도 총을 쏘지는 못한 것이라는 판단이었다. 사냥꾼을 향해 날아가던 엄마 여우는 그 판단이 큰 실수였다는 것을 알게 됐다. 사냥꾼이 손에 들고 있던 뭔가를 휙 던졌는데 그것은 엄마 여우의 몸 위로 덮쳐 오고 있었다. 언젠가 본 적이 있는 그물이었다. 엄마 여우는 사냥꾼의 손목을 스치듯 물긴 했다. 하지만 치명적인 공격은 아니었다. 사냥꾼의 손목을 스친 엄마 여우의 송곳니에 인간의 피 냄새가 풍겼고 그와 동시에 손이의 비명소리가 들렸다.

"엄마! 피해요!"

손이는 다급하게 소리쳤지만 엄마 여우는 이미 사냥꾼이 던진 그물 아래에서 허우적거리고 있었다. 엄마 여우의 눈에 멀리서 태니가 미친 듯이 달려오는 것을 보였다.

"안돼! 태니. 숨어!"

엄마 여우는 목청이 터질 것처럼 미친 듯이 소리 질렀다. 엄마 여우는 태니가 분명히 사냥꾼에게 달려들 것이라는 것을 알고 있었다. 태니는 아빠 여우인 뾰족귀의 성격을 그대로 닮은 녀석이었다. 태니가 엄마와 손이를 두고 숨어 버릴 녀석이 아니란 걸 알고 있었다. 예상대로 태니는 엄마의 말을 무시한 채 미친 듯이 뛰어오고 있었다.

"어이~ 한스! 우리가 설치해 둔 덫에서 은빛여우를 훔쳐가려는 건가?"

언제 나타난 것인지 손이와 엄마 여우를 잡으려 했던 덩치가 큰 사냥꾼 뒤에 두 명의 사냥꾼이 서 있었다. 게다가 귀가 쫑긋한 사냥개 두 마리가 으르렁대고 있었다. 태니를 추적하던 다른 두 명의 사냥꾼과 사나워 보이는 시커먼 두 마리의 사냥개였다. 사냥개는 주인의 명령만 기다리는 듯했다. 사냥개의 송곳니에서는 끈적한 침이 주욱 흘러내렸다. 멀리서 달려오던 태니는 사냥꾼들과 사냥개를 보고 그 자리에 멈춰 섰다. 일단은 무조건 달려들 상황이 아니라는 판단이 들어서다. 싸워 보지도 못한 채 사냥꾼에게 잡혀서 죽게 될 것이 뻔한 상황이 되어 버린 것이다. 태니는 재빨리 수풀 사이로 몸을 숨겼다. 사냥꾼들은 발견하지 못했지만 두 마리의 사냥개는 이미 익숙한 태니의 냄새를 맡았고 태니의 모든 행동을 지켜보고 있었다. 사냥꾼들이 목에 매단 줄만 풀어준다면 당장이라도 뛰어가 태니를 물어뜯을 준비가 된 것이었다. 그도 그럴 것이 사냥개들은 태니를 쫓아 하루 종일 숲 속을 뛰어다니다 이곳에서 다시 만나게 되었으니 바짝 약이 오른 상태나 마찬가지였기 때문이다. 사냥개들은 미치도록 흥분하고 있었다. 다행히 태니는 사냥개들보다 훨씬 영리한 녀석이다. 태니는 수풀에 숨어 머리를 굴려보았다. 하지만 아무런 생각도 나지 않았다. 그저 아빠가 죽은 그 자리에서 온 가족이 모두 죽게 될지도 모른다는 생각으로 가득했다. 엄마는 태니가 수풀에 숨은 후 사냥꾼들 누구도 태니의 존재를 눈치채지 못한 것을 알고 안도의 한숨을 쉬었다.

"태니야. 여차하면 도망쳐야 해. 사냥꾼들이 눈치채지 못하게 조심해. 숲에 가서 모두에게 알려야 해. 도망치라고~"

엄마는 목소리가 떨리는 걸 알고 있었지만 최대한 침착하려고 노력했다. 하지만 태니는 엄마가 시킨 것처럼 도망칠 생각은 없었다. 아빠는 아무리 급하고 절망적인 상황에서라도 정신만 바짝 차리면 해결할 수 있는 방법이 생각날 거라고 했다. 포기만 하지 않으면 기회는 있다고 했다. 태니는 엄마의 말에 대답할 수 없었다. 인간들이 눈치채도록 할 수는 없었기 때문이다.

사냥꾼들은 손이와 엄마 여우를 두고 소유권 문제로 대치하고 있다.

"세르게이~ 이게 왜 자네들 거라는 거지?"

덩치가 큰 사냥꾼이 팔짱을 끼며 말했다. 그는 어이없다는 표정을 하고 있었고 세르게이라는 사냥꾼은 황당한 표정을 한 채 입만 벌리고 있다.

"여긴 우리가 덫을 놓은 자리야. 우리 덫에 걸렸으니 그 은빛여우는 우리 거지. 한스 자네가 설마 그걸 자네 것이라고 우길 참이라면 포기하고 가시지. 그건 아니라고 보는데~"

세르게이는 으스대는 투로 말했다.

"세르게이! 자넨 정말 비양심적인 사람이야."

한스가 비웃으며 말했다.

"뭐라고? 비양심적? 지금 한스 자네가 우리 은빛여우를 가로채려 하는 걸 두고 비양심적이라고 하는 거야. 이걸 보고 뭐라고 하는지 아나? 적반하장이라고 하는 거야."

세르게이가 소리쳤다.

"나도 그렇게 생각해. 똥 묻은 놈이 방귀 뀐 놈에게 성낸다더니……
바로 한스 자넬 보고 하는 말이야."

세르게이와 함께 있던 사냥꾼도 한마디 거들었다.

"하하하~ 자네들 정말 뻔뻔하구먼. 지금 이 그물에 잡힌 은빛여우
를 자네들 것이라고 말하는 건가? 아니면 저기 올가미에 걸린 은빛여
우를 말하는 건가?"

한스는 두 사냥꾼에게 물었다. 그러자 세르게이는 동료 사냥꾼에게
뭐라고 속삭이더니 한스를 보며 말했다.

"잘 보니 그물에 잡힌 놈은 자네 것이 맞는 것 같네. 하지만 올가미는
우리가 설치한 것이니 우리 것이네. 그러니까 올가미에 걸린 놈은 덩치
도 작고 하니까 그냥 우리에게 양보하는 게 나을 것 같은데."

"내가 왜 그래야만 하지?"

한스가 한쪽 다리에 중심을 옮겨 삐딱하게 서서는 비웃는 듯한 표
정을 했다.

"이건 너무 하는 거 아닌가? 우리가 설치한 올가미에 걸린 동물은 우
리 것 아닌가? 다투지 말고 그냥 내주게. 양심 없이 남의 것을 가로채
지 말고. 물론 싸움으로 치면 당연히 한스 자네가 이기겠지만 우리끼리
꼭 그럴 필요가 있겠나?"

세르게이가 이제는 한스를 설득하려는 듯 말했다.

"그래? 자네들 정말 말 잘했군. 지난주에 자네들이 내 덫에 걸린 동
물들을 모두 훔쳐갔던 건 기억하나?"

한스는 이젠 표정을 바꿔 험악한 분위기를 만들었다.

"누가 그러던가? 우리가 하얀바위언덕에서 자네 덫을 만졌다는 걸 누가 보기라도 했나? 증거나 증인도 없으면서 우리를 도둑으로 몰면 섭섭하지. 어떻게 그런 막돼먹은 생각을 하는 거지?"

세르게이는 화를 내며 말했다. 옆의 사냥꾼이 세르게이의 팔을 잡고 말렸지만 세르게이는 그의 동료의 만류에도 아랑곳하지 않고 한스에게 따지고 들었다. 그러나 한스는 어이없다는 듯 하늘을 올려보더니 한참을 웃은 후에 세르게이를 노려보며 소리쳤다.

"내가 하얀바위언덕에 덫을 설치한 건 아무도 모르는데. 자네들은 그걸 알고 있었던 모양이야? 이래도 내가 자네들을 거짓으로 몰아세운다고 주장할 건가? 내가 그걸 다 도둑맞고 얼마나 큰 피해를 봤는지 알면서도 겁이 나지 않았던 것 같군. 내가 누군지 알면서도 그렇게 뻔뻔하게 굴 건가? 내 귀가 잘못된 게 아니라면 한번 해보자는 말로 들리는데?"

한스의 표정은 매우 험악하게 일그러졌다.

"미안하네. 한스. 자네가 피해를 봤다고는 하지만 자네는 사실, 늑대 외에는 잡지도 않으면서 왜 그러나. 어차피 놔줄 것인데 우리가 가져갔다고 해서 문제 될 것도 없잖아. 그래, 자네가 놓은 덫이라는 건 나중에야 알았어. 하지만 절대로 일부러 그랬던 건 아니야. 자네 거라는 걸 알았다면 우리가 미치지 않고서야 그럴 일도 없지 않겠나?"

세르게이의 동료 사냥꾼이 한스에게 말했다. 그리곤 세르게이를 돌아보며 말했다.

"세르게이. 괜히 욕심부리지 말자고. 우리가 고의로 그랬던 건 아니지만 어쨌든, 우리가 한스의 덫에 걸린 동물들을 모두 가져간 건 사실이잖아. 우리 오늘 허탕을 치긴 했지만 우리도 한스에게 죄를 진 거니까 양보하고 서로 화해하자고. 이렇게 싸우게 되면 마을에서 어떻게 마주 보고 살겠어. 나는 차라리 이걸로 서로 없었던 걸로 치고 편한 관계로 살고 싶네. 세르게이. 그렇게 하자고~"

세르게이는 그의 말에 얼굴이 빨개져서 입을 열었다.

"한스! 어쨌든 그땐 미안했네. 하지만 절대 고의는 아니었어. 그냥 하루 종일 허탕치고 가다가 자네가 설치한 덫에 걸린 동물들을 그냥 두고 가기가 그렇더라고. 그럼, 그 은빛여우는 그날 우리 실수를 만회하는 거라고 생각하고 양보하겠네."

세르게이와 동료는 한마디 남긴 후 뒤돌아 자리를 떠나려 했다. 값비싼 은빛여우 가죽이 너무 아까운 나머지 그들의 어깨에는 힘이 다 빠져 있었다.

"세르게이!"

한스는 세르게이의 등 뒤에 대고 소리쳤다. 두 사냥꾼은 한스를 돌아보았다.

"대신 이거라도 가져가게. 보니까 오늘 빈손인 것 같은데!"

한스는 근처에 아무렇게 던져둔 동물들의 가죽 더미를 가리켰다. 모두 늑대 가죽이었다.

"그…… 그래도 괜찮겠나?"

세르게이는 염치없다고 생각했지만 빈 손으로 돌아가면 식구들이 아쉬워할 것이 생각나서 한스의 제안을 쉽게 물리치지 못했다.

"난 먹여 살릴 가족이 있는 것도 아니라서 괜찮아. 얼른 가져가게. 맘 변하기 전에."

한스가 한 마디 하자 그들은 한스의 동물 가죽이 담긴 주머니를 재빨리 주워 들었다. 한스는 손이가 묶여 있는 올가미를 풀어 손이의 목 뒷덜미를 잡아 들었다.

"엄마~ 살려줘요~"

손이는 겁에 질려 소리쳤다. 세차게 발버둥 쳤지만 허공만 허우적거릴 뿐 한스에게 전혀 대응할 수가 없었다. 두 마리 사냥개는 거세게 짖었다.

"안돼! 절대 안 돼! 손이를 살려줘~ 차라리 나를 잡아가~"

엄마 여우가 그물에 네 다리가 모두 끼인 채 소리를 질렀다. 세르게이는 아쉬운 듯한 표정으로 은빛여우들을 쳐다보았다. 몇 번이고 뒤를 돌아보던 두 사냥꾼은 늑대가죽을 들고 멀어져 갔다. 사냥개 역시 무엇이 그리 아쉬운지 낑낑거리는 소리를 이어갔다. 그들이 시야에서 사라지고 사냥개 소리도 들리지 않고도 한참이 지나서야 몸을 돌린 한스는 뒤돌아 앉아 그물을 뒤집었다. 엄마 여우가 그물 안에서 어찌나 몸부림쳤는지 그물은 풀기 힘들 정도로 엉켜 있었다. 손이는 언제 기절해버렸는지 한스의 손에 들린 채 축 늘어져 있었다. 한스는 손이를 바닥에 조심스럽게 내려놓았다. 엄마 여우는 손이를 소리쳐 불렀지만 여전히 꼼짝도 하지 않았다. 수풀에 숨어 한스를 공격할 기회만 노리고 있던 태니는 드디어 기회를 잡았다고 판단했다. 역시 아빠 말대로 포기하지 않으면 기회는 생기는 법이었다. 태니는 한스의 행동을 유심히 살피다 방심한 틈을 타서 있는 힘껏 달려가 한스를 덮쳤다.

"우악! 뭐야?"

한스는 뒤에서 무언가 뛰어 오는 소리를 듣고 급히 뒤돌아 서며 주먹을 내리쳤다. 태니는 깽~ 하는 외마디 소리를 지르며 나가떨어지고 말았다. 자신의 주먹에 나가떨어진 태니를 쳐다보는 한스는 매우 놀란 표정이었다.

"어휴! 세 녀석이나 되네."

태니는 손이 근처에서 기절한 채 쓰러져 있다. 엄마 여우는 두 아들이 사냥꾼에게 당해 쓰러져 버리자 절망에 빠졌다. 적어도 태니는 살아서 돌아갈 수 있을 거라는 마지막 희망이 있었지만 모든 게 무참하게 깨져 버린 것이었다. 너무 절망적이었다. 엄마 여우는 눈물밖에 나지 않았다.

"아우~ 아우~"

엄마 여우는 소리 내어 울었다.

*

제 이름은 손이에요. 지금까지도 아무런 문제 없이 잘 살고 있죠. 그땐 정말 큰일 날 뻔했어요. 저는 한스의 손에 목 뒷덜미가 붙들린 채 허우적거리다가 기절해 버렸대요. 다시 눈을 떴을 땐, 한스가 엄마를 그물에서 풀어내고 있었고 태니는 제 옆에 쓰러져 있었어요. 태니가 대체 왜 잡힌 건지 알 수가 없었어요. 다행히도 아무 상처 없는 것을 봐서 죽지는 않을 것 같았어요. 태니의 배가 위아래로 오르락내리락하고 있었거든요. 숨을 쉬고 있다는 거니까요. 엄마는 제가 정신을 차린 것을 아셨는지 계속 기절한 척 기다리라고 하셨어요. 어떻게든 태니도 데리고 탈출해야 했으니까요. 저는 엄마가 시킨 대로 꼼짝 않고 누워 있었어요. 한스는 엄마를 가둬 둔 그물을 다 풀어 주었어요. 그런데 이상하게 엄마를 잡으려 하지 않았어요. 엄마는 이해할 수가 없었던 건지 무서워서였는지 그 자리에서 전혀 움직이지 않았어요. 한스는 뭐라고 계속 소리쳤어요. 우린 당연히 한스가 뭐라고 하는지 알아들을 수 없었죠. 어떻게 제가 한스라는 이름을 알고 있냐고요? 그가 한스라는 것도 아주 나중에 알게 된 사실이에요. 그땐 한스가 우리 아빠 뾰족귀를 죽인 사냥꾼이라는 것도 몰랐어요. 한스는 엄마를 풀어줬지만 엄마는 그 자리에서 한 발짝도 움직이지 않았어요. 저와 태니를 두고 가실 순 없었대요. 한스는 자리에서 일어나더니 태니의 옆에 앉았어요. 그리고는 한스가 울기 시작했어요. 우린 한스가 왜 태니를 보고 우는지 이해할 수 없었어요. 우리는 인간이 우는 걸 처음 봤어요. 한스는 태니의 목에 걸린 신기한 줄을 만지작거렸어요. 그건 아빠가 태니에게 직접 목에 걸어 준 거예요. 원래 그건 아빠가 제일 좋아하던 것이었는데 태니에게 물려주신 거예요. 아빠가 한스에게서 받은 것이라고 했거든요.

"뾰족귀! 이건 내가 뾰족귀에게 준 건데. 넌 누구니? 너희들은 뾰족귀와 어떤 사이길래……"

이상한 일이었어요. 저는 한스의 말이 들렸어요. 그리고 예전에 할아버지께서 해 주신 말이 기억났어요. 은빛여우가 인간의 말을 들을 수 있는 경우가 있는데 아주 순수한 영혼을 가진 아이일 경우와 죽어서 영혼이 될 경우뿐이라고 하셨어요. 물론 인간은 우리말을 들을 수 없어요. 죽어서 영혼이 되어야 가능한 거죠. 나는 아빠에게서 들었던 모험 이야기 중에 한스라는 아이를 늑대에게서 구해주고 인간 마을까지 데려다주었다던 이야기를 기억해 냈어요. 저는 직감적으로 지금 이 사냥꾼이 바로 그 아이라는 걸 알게 된 거예요. 한스는 잠시였지만 순수했던 기억을 들춰 냄으로 해서 우리와 대화를 할 수 있게 된 거였어요.

"얘들아. 미안해. 나는 너희 은빛여우에게 빚이 있어. 내가 비록 사냥꾼이 되었지만 너희들을 괴롭히고 싶지는 않아. 친구가 깨어나면 빨리 너희 숲으로 돌아가도록 해. 앞으로도 항상 조심하고."

한스는 태니의 목에 걸린 줄을 한참 만지작거리더니 태니를 들어 안아 얼굴에 한참을 비비기 시작했어요. 저는 한스가 태니를 잡아먹는 줄 알고 달려들 뻔했어요. 하지만 한스는 이미 제가 정신을 차린 것을 눈치챘는지 제 머리도 쓰다듬어 주었어요. 엄마는 제게 한스가 위협을 주는 게 아닌 것 같고, 그가 아빠 친구였던 꼬마 한스가 맞는 것 같다며 걱정하지 말라고 하셨어요. 한스는 태니를 바닥에 내려놓고 일어서서 우리를 내려다봤어요. 우린 더 이상 한스에게 으르렁거리지 않았어요. 한스에게서 살기나 위협 같은 게 느껴지지 않았거든요. 한스는 긴 한숨을 내쉬더니 주섬주섬 짐을 챙겨 떠나 버렸어요. 아빠와 인연이 있었던 한스가 나타나 우릴 구해주고 살려준 거예요. 정말 신기했어요. 태니는 얼마 지나지 않아 정신을 차렸어요. 태니는 한스에게 달려들다가 한스의 주먹에 맞고 한 방에 기절해 버린 거였어요. 지금 생각해 보면 한스는 정말 곰처럼 강한 인간이었어요. 아마 두 사냥꾼도 그런 한스가 무서웠던 거겠죠. 어쨌든 우리는 그렇게 한스 덕분에 죽을 고비를 넘길 수 있었어요.

6화 - 사냥꾼의 습격

혹시 우리 엄마 이름이 궁금하진 않나요? 사실 우리 숲에서 가장 유명한 이름인데 이상하게도 엄마는 그 이름을 너무 싫어해요. 그래서 엄마는 우리에게도 엄마의 이름이 불리는 걸 싫어해요. 어쨌든 우리 엄마 이름이 『동그란엉덩이』라는 것은 밝혀 둘게요. 이제부터는 가끔 엄마 이름을 쓰기로 했어요. 이제는 엄마가 싫어해도 어쩔 수 없어요. 우리는 엄마의 동그란엉덩이가 너무 예쁘고 좋은데 엄마는 왜 그 이름을 그렇게 싫어하는지 이해할 수가 없어요.

우리가 한스를 만났을 즈음, 노란민들레숲 근처에 있는 숲들이 사냥꾼들에게 짓밟히기 시작했어요. 사냥꾼들 중에는 한스도 끼어 있었고요. 한스는 『지옥의 사냥꾼』, 『지옥에서 온 늑대사냥꾼』이라는 별명으로 유명했어요. 동물들은 한스가 근처에 있다는 소리만 들어도 온몸이 굳어버릴 정도였어요. 특히 늑대들은 한스라는 이름만 들어도 덜덜 떨었다죠. 한스는 다른 사냥꾼들과는 달리 늑대를 사냥하고 나면 그 자리에서 가죽을 벗겨버리고 떠났어요. 늑대들의 시체는 독수리와 까마귀 녀석들이 차지했죠. 예전엔 땅 위의 동물들과 하늘을 나는 새들은 그다지 나쁜 사이가 아니었지만 이 때부터 동물들은 독수리와 까마귀를 혐오하기 시작했어요. 얼마 전에는 호랑이 부부가 살던 『어두운 숲』에 사냥꾼들이 몰려와서 숲 속의 동물들을 마구 잡아 죽였다는 소문이 주변 숲에 사는 동물들에게 퍼져갔어요. 수천 년 동안 조상 대대로 살아왔던 고향을 버리고 떠나는 동물들이 늘어갔죠. 어두운 숲의 호랑이 부부는 사냥꾼들에게 사로잡혀 어딘가로 끌려갔어요. 그러자 다람쥐 같은 작은 동물들만 남고 모두 숲을 떠났고요. 어두운 숲은 더 짙은 어둠과 고요함으로 덮여 버렸어요. 그 후 어떤 동물도 주변에 얼씬거리지도 않았어요. 어두운 숲은 계곡 건너편에 있었어요. 누구도 찾지 않는 거대한 평원은 작은 시베리아라고 해도 될 정도로 큰 땅이었는데 거의 모든 동물들이 사라진 거죠. 이제 그곳은 날개 달린 녀석들의 천국이 되어 버렸어요. 운 좋게 살아남은 동물들은 겁이 나서 숨조차 제대로 쉬지 못했대요. 우리 노란민들레숲에도 주변의 숲에서 탈출한 동물들이 찾아들었어요. 동물들은 그들이 겪은 공포스러운 경험을 이야기해줬어요. 그 동물들은 우리 숲도 사냥꾼의 공격에 미리 대비해야 한다고 했어요. 숲 속 동물들은 고향을 떠나야 할지도 모른다는 생각에 두려움과 아쉬움으로 가득 찼지요. 우리 숲의 동물들은 사냥꾼 마을에서 도망쳐 나온 화들짝에게 들은 이야기가 있어서 사냥꾼에 대해 제법 알고 있었지만 막상 바로 이웃에 있는 숲에서도 좋지 않은 소식이 들려오자 걱정이

이만저만 아니었어요. 발등에 불이 떨어진 거나 마찬가지였지요.

*

"아수라장이 따로 없어요!"

"무서워 죽을 것 같아요"

"엄마가 사라졌어요!"

밍크 세 마리가 서로 앞다투어 말했다. 여우의 반도 안 되는 덩치에 족제비 같이 생긴 밍크는 러시아 사냥꾼들에게 인기 있는 사냥 대상이다. 친칠라, 비버 그리고 여우 역시 사냥꾼들이 제일로 치는 가죽이다.

반짝반짝돌멩이마을이 초토화되었다는 소식이 들려왔다. 조그만 밍크들 외에도 비버들이 모여 살던 곳 역시 상황이 심각한 것 같았다. 도망을 치다가 사냥꾼들이 설치해 놓은 덫에 걸려 잡힌 동물도 많다고 했다. 손이는 목숨이 위태로웠던 경험을 통해 사냥꾼의 덫이 얼마나 무서운 것인지 알고 있었다. 동물들에게 덫을 피하는 방법을 알려야만 했다. 덫에 걸리면 가족과 친구들까지 사냥꾼의 손아귀에서 벗어날 수 없게 되는 것이 더 문제였다. 만약 그때 한스가 아닌 다른 사냥꾼이었다면 태니의 가족들은 모두 영혼이 되어 이 숲을 떠났을 것이다.

손이와 태니는 동물들을 모아 덫을 피하는 방법에 대해 설명해 주기로 했다. 밍크들의 말에 따르면 총에 맞은 동물보다 덫에 걸려 산채로 잡혀간 동물이 더 많다고 했다. 손이는 해가 뜨는 방향으로 알리기로 하고 태니는 해가 지는 방향으로 향했다. 해가 지면 너른바위광장으로 모이기로 약속하고 손이는 해가 뜨는 방향으로 뛰면서 소리치기 시작했다.

"동물들은 모두 너른바위광장으로 모여주세요. 사냥꾼들에게서 잡히지 않으려면 꼭 오셔야 해요. 한 마리도 빠지지 마세요."

태니와 손이의 목소리는 노란민들레숲 구석구석에 울려 퍼졌다.

숲의 중앙 부근에는 엄청나게 넓은 바위가 놓여 있다. 그래서 숲 속 동물들은 너른바위광장이라고 불러왔다. 숲 속 동물들은 숲에 일이 생기면 항상 이 곳에 모여 회의를 하곤 했다. 보통은 제일 나이가 많은 동물들이 회의를 소집할 수 있다. 이미 친칠라 할아버지와 노란여우 할아버지는 화가 난 눈치다. 태니는 할아버지들에게 상황을 설명했다. 노란여우 할아버지는 태니의 설명에도 불구하고 화가 잔뜩 난 표정으로 나무랐다. 노란여우 할아버지는 태니의 할아버지와 오랜 친구였지만 태니의 할아버지가 죽고 난 후 태니 가족과 예전처럼 가깝게 지내지 않았다. 노란여우 할아버지는 수천 년간 노란민들레숲의 동물들에게 존경받아온 은빛여우들을 내심 못마땅히 생각해 왔었다. 태니의 할아버지가 죽고 난 후부터는 나이 많은 은빛여우가 없어서 노란여우 할아버지가 숲에서 제일 존경받는 동물이 되었다. 노란여우 할아버지는 자신의 자리를 인정받고 싶었다. 그 누구도 자신을 뛰어넘는 것을 인정하지 않았다. 특히 태니의 아빠인 뾰족귀가 죽은 후부터는 노란여우 할아버지의 권위는 하늘을 찌를 듯했다. 화가 나 있던 노란여우 할아버지는 태니의 설명을 듣는 둥 마는 둥 했다. 노란여우 할아버지는 한참만에 화를 풀고 큰 바위 위로 올라갔다. 주위에는 수를 헤아릴 수 없을 정도로 많은 동물들이 모여 있었다. 노란민들레숲의 역사상 이렇게 많은 동물들이 모인 것은 처음이었다. 다른 숲에서 도망쳐 나온 처음 보는 동물도 제법 많이 있었다.

"노란민들레숲 동물 여러분. 이렇게 갑자기 모이라고 한 건. 에헴~"

동물들을 둘러보던 노란여우 할아버지는 연설을 시작했다. 그런데 노란여우 할아버지는 말을 하다 말고 태니를 불러 조용히 물었다.

"태니야. 그게 뭐라고 그랬지?"

"덫입니다."

노란여우 할아버지는 다시 동물들을 보며 말을 이어갔다.

"에헴~ 그러니까 사냥꾼들이 설치한 덫이라는 위험한 물건 때문에 모두들 모이라고 한 겁니다. 우리는 에헴~ 이 위험한 덫을 에헴~ 그러니까~"

노란여우 할아버지는 더 이상 말을 이어가지 못하자 다시 태니를 보며 물었다.

"그러니까 그 덫이 뭐가 어쨌다는 거냐?"

"그러니까요. 덫을 조심해야 하는데 어떻게 생겼는지, 누군가가 덫에 걸리면 어떻게 행동해야 할 것인지 대책을 세워야 한다는 걸로 모이라고 한 거예요."

태니는 노란여우 할아버지가 쉽게 이해할 수 있도록 덫에 대해 차근 차근 설명했다. 노란여우 할아버지는 다시 동물들에게 말을 하려다가 "에헴~"만 연발했다. 결국 노란여우 할아버지는 태니에게 직접 설명을 해 달라고 부탁했다.

"뾰족귀의 첫째 아들인 태니가 자세하게 설명해 줄 겁니다."

노란여우 할아버지는 태니에게 단상 위로 올라오라며 눈짓했다. 태니는 날쌘 몸을 날려 단상 위로 훌쩍 뛰어올랐다. 와우~ 하는 소리를 내며 동물들이 태니의 등장에 환호했다. 숲의 모든 동물들은 은빛여우들이 언제나 숲을 위해 일 해 왔다는 것을 알고 있었다. 숲의 위기가 닥치자 은빛여우의 활약을 내심 기대하고 있었던 것이다.

숲 속의 동물들은 언제나 뾰족귀를 사랑했었다. 그의 갑작스러운 죽음으로 인해 요즘 같은 위급한 시기에 기댈 만한 믿음직한 동물이 없었다. 다행히도 그의 두 아들 손이와 태니가 뾰족귀의 명석하고 용감한 행동을 대신해 줄 것이라고 생각하는 것이다.

"숲 속 동물 여러분. 저는 뾰족귀의 둘째 아들 태니예요. 첫째 아들은 손이 형이고요. 노란여우 할아버지가 잘못 알고 계신 거예요. 아무튼 그건 중요한 건 아니지만…… 다들 알고 계실 거예요. 얼마 전 반짝반짝돌멩이마을에 사냥꾼 마을이 들어오면서 그곳에 살던 동물들이 뿔뿔이 흩어졌어요. 우리 숲에도 많은 동물들이 이사를 왔고요. 사냥꾼들이 요즘 덫이라는 걸 설치해서 동물들을 산 채로 잡아가고 있어요. 저도 얼마 전에 엄마인 동그란엉덩이와 제 형인 손이가 사냥꾼이 설치해 놓은 덫에 걸렸다 간신히 풀려났어요. 사냥꾼이 설치한 덫을 끊으려면 시간이 오래 걸려요. 이빨이 닿지 않는 부위는 혼자서는 풀어낼 수가 없어요. 이빨이 날카롭지 않은 동물들은 덫을 끊기 어려울 거예요. 우리는 덫에 걸렸을 때 어떻게 대응을 해야 하는지 제대로 알아야 해요. 누가 옆에 있다면 최대한 빨리 다른 동물들에게 도움을 요청하세요. 만약 혼자 있다면 소리를 질러서라도 다른 동물들을 불러야 해요. 절대로 혼자서는 빠져나올 수가 없어요. 세 마리 이상이 된다면 이빨이 제일 날카로운 동물은 덫을 물어뜯고 다른 동물은 주변에서 사냥꾼이 오는지 망을 봐야 해요. 사냥꾼이 나타난다면 사냥꾼을 멀리 유인해야 해요. 최대한 시간을 벌어야 해요. 겁을 내면 모두 잡히게 될 거예요. 정말 그런 일은 생기면 안 되겠지만 도저히 구출하지 못할 상황이라고 판단될 경우 그냥 포기하고 나머지는 모두 도망가야만 해요. 그 자리에서 머뭇거리다 모두가 죽게 돼요. 슬픈 일이지만 꼭 그렇게 해야만 해요. 명심하세요. 손이 형도 맛있어 보이는 고깃덩어리를 보고 아무 생각 없이 먹으려다 덫에 걸린 거예요. 절대로 모르는 곳에 있는 음식은 먹으려 하면 안 돼요. 그리고 사냥꾼들은 시베리안 허스키보다 빨리 달리는 시커먼 개를 데리고 있어요. 조심해야 돼요."

태니는 숨도 쉬지 않고 설명했다.

*

태니는 정말 똑똑한 녀석이에요. 하지만 태니는 큰 실수를 하고 말았어요. 태니의 신속한 판단이 동물들에게 큰 도움이 된 것은 사실이지만 노란여우 할아버지에게 큰 실수를 한 거예요. 모든 일은 절차라는 것도 있어요. 어른들에게 상의를 하고 진행해야 하는 마을의 중대사인데 태니는 그걸 무시하고 일을 벌인 거예요. 태니가 일부러 그런 게 아니라는 걸 누구나 알고 있어요. 하지만 노란여우 할아버지는 화가 많이 났어요. 할아버지는 그래도 화를 참으셨어요. 오히려 마을의 중대사인데 빨리 판단해서 진행했다고 칭찬을 하셨죠. 표정엔 화가 난 것이 그대로 드러나 있었지만 말이에요. 태니도 나중에야 자신이 얼마나 큰 실수를 한 것인지 알게 됐고 노란여우 할아버지께 용서를 빌었어요. 할아버지는 태니를 용서했어요. 대신에 다음에도 반복된 실수를 하면 안 된다고 지적해 주셨어요. 태니는 역시 똑똑한 녀석이에요. 잘못한 것을 인정하고 용서를 구하는 모습이 웬만한 어른들보다 훨씬 더 어른스러워 보였어요. 광장에 모인 동물들은 태니의 설명을 듣고 고마워했어요. 태니는 직접 사냥꾼을 피하는 요령을 알려주기 시작했어요. 총이라는 물건이 얼마나 무서운지, 사냥꾼을 발견하면 어떻게 대처해야 하는지 등등……

7화 - 빠른발의 위기

　얼마 지나지 않아 다른 숲의 동물들이 우리 숲으로 모여들기 시작했어요. 주변의 숲에서 대표 격이라고 할 수 있는 동물들이었죠. 우리 숲에서 사냥꾼에게 대처하는 방법을 가르치고 있다는 소문이 났다는 이야기를 들은 노란여우 할아버지는 그 참에 다른 숲의 대표들을 불러 모은 거였어요. 이를테면 동물들이 연합을 하기로 한 거죠. 모두들 시베리아에 사는 동물들의 미래가 사라질지도 모른다는 걱정을 하게 된 거예요. 그동안 해가 지는 방향에서 밀고 들어온 사냥꾼의 수가 어마어마하게 늘어났어요. 사냥꾼 마을도 여기저기 많이 생겨나고 있었어요. 실종되거나 죽임을 당한 동물들의 수는 셀 수도 없었고요. 우리 숲의 동물들은 사냥꾼에 대처하는 요령을 훈련받아서 그런지 다른 숲보다 피해가 적은 편이었어요. 그래서인지 우리 숲이 안전하다는 소문이 돌면서 많은 동물들이 몰려들었어요. 식량 걱정 한 번 해 본 적이 없었을 정도로 풍요로웠던 우리 숲은 갑자기 늘어난 동물들 때문에 새로운 골칫거리가 생겼죠. 게다가 수천 년 동안 사소한 다툼도 거의 없던 숲에 사사로운 다툼도 잦아졌어요. 다른 숲에서 온 동물들이 곳곳에서 소란을 일으키기도 하고, 싸움이 나기도 했어요. 풍요롭고 아늑했던 노란민들레숲의 모습은 사라지고 없었어요. 그렇다고 해서 고향을 잃고 우리 숲으로 들어온 동물들을 모른 척할 수는 없잖아요. 어쨌든 우리 숲의 동물들은 새로 이사 온 동물들에게 식량을 나눠 주었어요. 그런데 정말 중요한 문제는 다가오는 겨울이었어요.

*

"헉헉헉헉~"

눈물과 콧물로 범벅이 된 채 거친 숨을 몰아 쉬고 있다. 흰 털과 검은 털이 섞여 있는 호랑이다. 아직 다 자라지 않은 어린 녀석이다. 바닥에 주저앉아 헉헉거리는 것이 체력이 다 떨어진 것 같다. 위협을 느끼는 건 아닌 걸로 봐서 사냥꾼에게 쫓기는 것은 아닌 것 같다. 게다가 주변 어디에도 인간의 냄새는 나지 않는다. 그런데 갑자기 어린 호랑이의 눈에서 굵은 눈물이 주르륵 흘러내렸다. 실핏줄이 돋아난 커다란 눈은 흐르는 눈물을 거두려는지 질끈 감겨 버렸다. 어린 호랑이는 방금 전 상황을 다시 떠올렸다. 도망을 치는 게 잘못된 판단이었다는 생각이 들었지만 아빠의 호통치는 소리가 귓가에 생생히 들려오는 것 같았다.

"빨리 노란민들레숲으로 가서 소식을 전해야 해! 빨리 떠나! 있는 힘껏 뛰어! 쉬지 말고 뛰어야 해! 어서!"

아빠의 호통 소리를 떠올린 어린 호랑이는 다시 일어나 뛰기 시작했다. 어린 호랑이는 있는 힘껏 뛰었다. 항상 뛰는 것을 좋아하던 호랑이는 그 어느 때보다 더 힘차게 뛰었다. 그것이 아빠를 구하는 유일한 방법이라고 생각했다. 엄마는 사냥꾼의 그물에 사로잡혀 꼼짝할 수도 없었고 아빠는 엄마를 구하기 위해 사냥꾼과 대치하고 있었다. 아빠 혼자서 사냥꾼 세 명을 대적해서 이길 수 없다는 걸 알고 있었다. 만약 예전의 인간들이었다면 그들 가족을 보는 순간 줄행랑을 쳤을 게 분명한데 요즘 사냥꾼들은 총이라는 무시무시한 물건을 들고 다녔다. 천둥 소리가 나면 누군가가 꼭 쓰러지고야 마는 총이란 것을 든 인간은 호랑이들을 두려워하지 않았다.

어린 호랑이지만 엄청나게 빠른 속도의 달리기다. 어린 호랑이는 『개구리낮잠자는숲』에서부터 달려왔다. 노란민들레숲과는 거리가 상당히 먼 곳이다. 어린 호랑이는 아무리 힘들어도 다리를 멈출 수 없었다. 자기 다리에 가족과 숲의 동물들의 생사가 달렸다는 것을 알고 있기 때문이다.

휘익! 슉! 휙! 슈욱! 어린 호랑이가 나무들을 스쳐 지나갈 때마다 나뭇가지들이 거칠게 울어댔다. 마치 바람과 함께 달리는 것 같았다. 얼마나 달렸을까, 어린 호랑이의 귀에 누군가의 울음소리가 들려왔다. 늑대였다. 멀지 않은 곳이었고 울음소리는 점점 크게 들려왔다.

"살려주세요. 주변에 누가 있으면 살려주세요!"

어린 호랑이는 뛰면서 고민했다.

'도와줘야 할까?'

어린 호랑이는 누군가의 고통을 모른 척하면 안 될 것 같았다. 살려 달라고 우는 소리를 못 들은 척하기가 어려웠다.

'그래! 잠깐이면 될 거야.'

어차피 목적지로 가는 방향에서 크게 벗어나는 위치도 아니었다. 어린 호랑이는 뛰던 방향을 바꿔 소리가 나는 쪽으로 뛰어갔다. 아빠는 언제나 약한 동물을 괴롭히지 말라고 했다. 일부러 다치게 하거나 남의 고통을 모른 척하지 말라고 했다.

'그래! 금세 해결할 수 있는 일이라면 도와주고 가면 돼!'

호랑이가 흔들리는 마음을 다잡고 늑대의 소리가 나는 곳을 향했다. 그런데 늑대가 달려오던 어린 호랑이를 보고 겁에 질렸다. 늑대는 기껏 도와주러 온 동물이 하필 호랑이라는 것이 새로운 공포였던 것이다. 늑대는 다리를 달달 떨었다.

"왜 그러죠? 도와 달라는 소리가 들려서 왔는데~"

어린 호랑이가 으르렁거리는 소리로 말했다. 하지만 늑대에게는 도와주겠다는 말도 무서운 호랑이의 포효로만 들렸다.

"뭘 도와주면 되나요?"

"사냥꾼의 덫에 다리가 걸렸어요. 이것 좀 잘라 주세요. 부탁해요."

늑대는 이제야 어린 호랑이가 구해주러 왔다는 걸 기억해 냈다.

늑대는 그렇게 말을 하면서도 한편으로는 다리에 걸린 덫을 푸는 게 아니라 다리를 물어뜯어 잡아먹는 게 아닌가 하는 의심이 들었다. 더 겁이 났다. 늑대는 이제 생각이 바뀌어 호랑이가 그냥 떠나 주었으면 했다. 그래서 도움이 필요 없다고 말하려 했다. 어차피 숲 속 누군가가 와서 도와주거나 다른 늑대들이 달려와 도와줄 것이 분명하다고 생각했다.

"저~ 저기. 그냥 가던 길 가세요. 그냥 다른 동물에게 부탁하면 되거든요."

늑대는 애써 태연한 척했다.

"아녜요. 제가 도울 게요. 어떻게 해 드릴까요?"

호랑이는 이왕 온 길인데 늑대의 어려움을 모른 척하고 지나치는 것은 잘못된 것이라고 생각했다.

"괜찮아요. 어휴~ 숨을 그렇게 몰아 쉬는 거 보니까 바쁜 일이 있는 것 같은데, 그냥 가던 길 가세요~"

늑대는 괜찮다며 갈 길을 가라고 말했다. 늑대는 호랑이에게 잡혀 먹히는 걸 상상하기도 싫었다.

"그래도 되겠어요? 그럼 저는 가 볼게요. 도와주지 못해서 미안해요."

어린 호랑이는 늑대에게 인사를 하고 다시 노란민들레숲 방향으로 뛰어갔다. 이제 조금만 더 가면 도착할 수 있을 것 같았다. 그런데 또 어디선가 도움을 요청하는 소리가 들려왔다. 이번에는 노루였다. 어린 호랑이는 이번에도 도움을 주어야 하나 말아야 하나 고민이 되었다. 착한

심성을 가진 어린 호랑이는 다시 소리가 나는 쪽을 향해 뛰었다. 어차피 이번에도 소리가 들려오는 곳이 노란민들레숲으로 가는 방향이기 때문이다. 멀리 수풀 사이로 노루의 머리가 보였다. 노루는 목이 터지라고 울어 대고 있었다. 어린 노루였다. 어린 호랑이보다 한참 어린 녀석이었다. 호랑이가 노루가 있는 곳에 거의 도착할 즈음, 이번에도 역시 노루가 먼저 호랑이를 발견했다. 노루는 기겁을 하며 비명을 질렀다. 하필이면 호랑이 중에서도 가장 머리가 좋고 무섭다는 흰얼룩호랑이였다. 호랑이가 자신을 향해 달려드는 것을 보자 잡혀 먹히고 말 거라는 생각이 들었다.

'엄마 말씀을 잘 들었어야 했는데~'

어린 노루는 후회를 했다. 어린 호랑이는 기껏 노루를 도와주러 왔는데 겁을 먹고 실성한 동물처럼 비명을 질러 대는 노루가 한심하다는 생각이 들었다. 그때였다. 옆에서 누군가 수풀을 헤치고 불쑥 튀어나오는 것이다. 다른 노루가 호랑이에게 뒷발차기를 날렸다. 호랑이는 옆으로 펄쩍 뛰어 피했다. 기껏 노루에게 당할 호랑이가 아니었다. 아무리 어릴 지라도 그 정도의 공격으로는 어림없었다.

"내 딸을 잡아먹으려고? 차라리 나를 잡아먹어라. 아니라면 나를 먼저 쓰러뜨려야만 할 거야!"

갑자기 나타난 노루는 어린 노루의 엄마였던 것이다.

"저기~ 저는 도와주려고~"

어린 호랑이가 소리쳤다.

"어림도 없는 소리 하지 마라! 썩 물러가라! 내가 끝까지 싸울 거다!"

엄마 노루는 눈을 부라리며 당장이라도 뒷발차기 공격을 할 태세를 했다.

"그냥 갈게요. 도와주지 못 해서 미안해요."

어린 호랑이는 자신을 두려워하는 노루 모녀를 뒤로 하고 수풀을 향해 몸을 훌쩍 날렸다. 다시 노란민들레숲을 향해 뛰는 것이다. 이제 호랑이의 목적지는 얼마 남지 않았다. 호랑이는 중간에 두 번이나 시간을 낭비한 것이 마음에 걸렸다. 혹시라도 그 시간 때문에 가족을 구할 기회를 놓친 것이 아닐까 하는 생각이 들었던 것이다. 한편으로는 누군가의 도움이 필요한 것을 알고도 도와주려 하지 않았다면 스스로도 양심의 가책을 느꼈을 것 같았다.

획! 슈욱~ 쇽~ 휘익! 어린 호랑이는 번개 같은 속도로 숲 속을 뛰었다. 한참을 달리자 멀리서 은빛여우 두 마리가 어딘가로 달려가는 것이 보였다. 호랑이는 벌써 노란민들레숲에 들어왔다고 확신했다. 흰얼룩호랑이 역시 시베리아에서 보기 드문 편이긴 했지만 은빛여우도 그에 못지않았던 것이다.

"저기요~ 은빛여우씨~"

어린 호랑이는 은빛여우에게 소리쳤다. 소리를 지른 호랑이는 바로 후회를 했다. 은빛여우 역시 다른 동물들처럼 자기 때문에 겁을 내거나 도망칠 수도 있다는 생각이 들었던 것이다. 어린 호랑이는 급히 몸을 숨겼지만 이미 은빛여우는 어린 호랑이의 존재를 확인했다. 은빛여우는 목소리 만으로도 자신이 호랑이라는 것을 알 수 있을 것인데, 정작 호랑이는 미처 그 생각을 하지 못했던 것이다. 은빛여우 두 마리는 잠시 몸을 멈칫하며 자세를 낮추기는 했지만 도망을 치지는 않았다.

"뭐죠?"

은빛여우 중 한 마리가 소리쳤다. 손이였다. 다른 한 마리는 태니였다.

"나는 개구리낮잠자는숲에서 온 빠른발이라고 해요. 우리 마을이 사냥꾼들에게 공격을 당했어요. 도와주세요."

어린 호랑이는 자기를 소개하며 조심스럽게 다가왔다. 반면 손이와 태니는 경계를 하며 한두 걸음 뒷걸음질 쳤다.

"무서워할 필요 없어요. 아니 그러지 말아요. 나는 도움을 요청하러 온 거예요. 아빠 친구 중에 뾰족귀라는 은빛여우가 있다고 들었어요. 그분과 나를 만나게 도와주세요. 우리 마을과 부모님을 구해주세요! 부탁해요."

어린 호랑이 빠른발은 자기도 모르게 울기 시작했다. 다급한 마음이 가득했던 빠른발에게 정작 도움을 줄 누군가를 만났다는 생각에 안도감이 들었던 탓이다. 손이와 태니는 잠시 마주 보더니 태니가 먼저 빠른발에게 폴짝 뛰어왔다. 태니의 발걸음은 굉장히 사뿐했다.

"우리 아빠를 어떻게 아는 거죠?"

태니가 빠른발 앞에까지 다가와서 물었다. 둘은 나이가 비슷했지만 덩치는 대여섯 배 정도 차이가 났다. 아직 어리다고 해도 호랑이는 호랑이였다. 태니는 빠른발의 덩치에 위압감을 느꼈다.

"노란민들레숲의 도움을 얻으려면 어떻게 해야 할까요? 아빠는 뾰족귀라는 분을 찾으라고만 하셨는데."

"우리 아빠는 사냥꾼 때문에 돌아가셨어요. 이제 이 세상에는 안 계세요. 대신 노란여우 할아버지가 동물들의 존경을 받고 계세요. 같이 가시겠어요?"

태니는 지난번 경험 이후로 숲의 일은 어른들에게 상의해야 한다고 배웠다. 같은 실수를 반복하기는 싫었다.

"네. 그렇게만 해준다면 좋겠어요."

"그럼. 같이 가죠."

태니는 대답과 동시에 노란여우 할아버지가 사는 동굴을 향해 뛰기 시작했다. 그들은 숲 속을 뛰면서 많은 동물들을 지나쳤다. 동물들은 태니가 호랑이에게 쫓기는 것으로 오해하고 급히 숨어들었다. 손이는 그들의 뒤를 따르며 호랑이에게 쫓기는 게 아니니 걱정 말라고 소리쳤다. 하지만 동물들은 호랑이를 목격한 것 자체만으로도 겁을 먹고 쿵쾅거리는 심장소리를 듣고 있었다.

마침 노란여우 할아버지는 동굴 안에 있었다. 태니는 호랑이 빠른발과 마주치자 겁을 먹고 덜덜 떨고 있는 노란여우 할아버지의 모습이 너무 웃겼지만 꾸욱 참아야만 했다. 웃음을 보였다가는 또 혼이 날 게 뻔했다.

"미리 말씀드리고 나서 데리고 왔어야 했는데요. 너무 급한 일이라서 그냥 바로 왔어요. 할아버지 죄송해요!"

태니가 말했다. 노란여우 할아버지는 마음이 한결 가벼워졌지만 무서운 호랑이 앞이라 겁이 사라지지는 않았다. 아직도 다리를 달달달 떨고 있었다. 빠른발은 미안한 마음이 들어 어쩔 줄 몰랐다. 그래서 두 발을 앞으로 모아 쭉 편 채 배를 깔고 바닥에 엎드렸다. 겁을 주거나 해칠 생각이 없다는 것을 보여주기 위해서였다.

"할아버지! 죄송해요. 이렇게 불쑥 찾아와서……"

빠른발이 눈에서 최대한 힘을 풀고 착한 표정을 했다. 애를 쓰고 있는 모습이 눈에 역력했다. 맹수의 왕이라고 하는 호랑이로서는 부끄럽고 치욕적인 모습이었다. 그렇게 하지 않으면 긴장을 풀지 않을 것 같아서였다. 게다가 그런 것을 따질 상황도 아니었다. 빠른발은 최대한 빨리 마을의 소식을 전하고 부모님을 구하러 가야 한다.

빠른발은 노란여우 할아버지에게 개구리낮잠자는숲의 상황에 대해 설명했다. 빠른발이 설명하는 사이 노란민들레숲의 동물들이 모여들었다. 손이가 숲을 뛰어다니며 동물들을 불러 모은 것이다. 빠른발은 모든 설명을 마치고 눈물을 흘리면서 도움을 요청했다.

"돕긴 뭘 도와요~ 절대 도울 수 없어요!"

동물 중 누군가 소리쳤다. 목소리의 주인공은 늑대였다. 숲 속에서 마주쳤던 그 늑대였다. 빠른발은 늑대가 왜 그러는지 영문을 알 수 없었다.

"대체 왜 그러는 거죠? 왜 도움을 주면 안 된다는 건지 이해할 수 없어요."

빠른발은 늑대를 보며 말했다. 감정 섞인 목소리가 으르렁거리자 늑대는 잠시 위축이 됐다. 자기도 모르게 꼬리가 감긴 것이다. 하지만 늑대는 용기를 내고 대꾸했다.

"여러분. 제 이야기 좀 들어주세요. 내가 아까 사냥꾼이 설치해 놓은 덫에 걸려서 도와 달라며 소리를 질렀어요. 그런데 저 호랑이가 다가오더니 구해 주기는커녕 오히려 배가 고프다면서 저를 잡아먹으려고 했어요. 만약에 저희 가족들이 나타나지 않았다면 저는 이미 저 호랑이 뱃속에 있을지도 몰라요."

늑대는 큰 목소리로 말했다.

"그건 거짓말이잖아요. 도대체 왜 그러는 거예요?"

빠른발이 늑대를 노려보며 으르렁거렸다. 숲 속의 동물들은 호랑이의 우렁찬 소리에 온몸의 털이 곤두서는 것을 느꼈다. 역시 호랑이는 모든 동물들에게 있어 무서운 존재였다. 빠른발은 난감했다. 빠른발은 동물들에게 위협을 하려던 것이 아니었다. 그런데 자신의 목소리 만으로 동물들이 두려워하는 모습을 보고 어찌할 바를 몰랐다.

"이것 보세요. 호랑이가 우리에게 겁을 주고 있잖아요~"

늑대가 다시 소리쳤다. 동물들은 늑대의 말에 동요했다. 늑대의 말대로 나이가 어린 동물들은 호랑이에게 겁을 먹고 떨고 있었다. 태니와 손이는 빠른발의 편을 들어주고 싶었지만 늑대의 말에 의하면 빠른발의 말도 그대로 믿을 수 없었다. 일단은 상황을 더 지켜보기로 했다. 빠른발은 매우 난감해하는 눈치였다. 하지만 지금 당장은 어쩔 수 없었다.

"내가 아까 도와주려고 하니까 그냥 가라고 했잖아요. 왜 없는 말을 꾸며서 말하는 거죠?"

빠른발은 너무 억울했다.

"그럼~ 내가 거짓말을 하고 있다는 거예요? 내가 지금 여기에 어떻게 와 있는 걸까요? 나를 도와준 건 우리 가족들인데. 그렇다면 우리 가족들이 전부 거짓말쟁이라는 건가요?"

늑대가 주변 동물들을 둘러보며 말했다. 자신의 주장을 다른 동물들에게도 알리고 싶어 했다. 동물들이 웅성거리기 시작했다. 대부분 빠른발의 말보다 늑대의 말에 무게를 두는 것 같았다. 빠른발은 자신의 결백을 어떻게 증명해야 할지 답답했다. 도움은커녕 노란민들레숲에서 쫓겨날 것이 분명했다. 빠른발은 답답한 마음에 울고 싶었다. 게다가 떠나올 때 보았던 아빠의 모습이 떠올라 걱정이 더해졌다.

"저것 봐요. 변명조차 못하고 있잖아요. 거짓말쟁이 호랑이를 우리 숲에서 내보내야 합니다."

늑대의 말에 숲 속 동물들이 동요했다. 그때였다.

"거짓말이에요!"

어디선가 늑대의 말에 동조하는 듯 소리쳤다.

"보세요. 내 말에 동의하는 동물들이 있잖아요. 다들 저 호랑이를 쫓아버립시다. 여러분~"

늑대가 신이 난 듯이 더 큰 목소리로 소리쳤다. 그러자 동물들이 함께 소리치기 시작했다.

"호랑이는 우리 숲에서 나가라!"

"떠나라! 거짓말쟁이!"

"호랑이는 가라!"

"부끄러운 줄 알아라!"

"사냥꾼이 덤벼든 게 당연하다. 고소하다."

여기저기 웅성대던 소리가 다들 한 마디씩 목소리가 되어 온 숲에 울려 퍼졌다. 몇몇 동물들은 호랑이가 무서운 나머지 앞서 말하지도 못했다. 비겁하게 뒤에서 다른 동물들 사이에 숨어 소리만 고래고래 질러댔다.

"그게 아닙니다!"

이번에는 누군가 고함치듯 큰 소리로 부르짖었다. 그러자 웅성대던 동물들은 목소리의 주인을 돌아보았다. 노루였다.

'아까…… 그?'

빠른발은 노란민들레숲으로 오던 길에 덫에 걸려 도움을 요청하던 그 노루라는 것을 알아보았다.

"무슨 할 말이 있냐?"

노란여우 할아버지가 물었다.

"저 호랑이는 거짓말을 한 게 아니에요. 저도 사냥꾼의 덫에 걸려 있었는데 저 호랑이가 와서 도와주려 했어요. 그땐 저도 엄마도 호랑이가 너무 무서워서 도움을 받지는 못했지만 저 호랑이는 절대 그럴 리가 없어요. 지금 하는 말에 따르면 엄마아빠의 목숨이 걸린 문제로 도움을 요청하기 위해 쉬지도 못하고 뛰어온 건데, 누군가를 도울 시간이 있었겠어요? 그런 상황인데도 호랑이는 저를 구해주려고 했었어요. 아마 다른 동물이었다면 그냥 지나쳤을지도 몰라요. 그리고 저 늑대가 덫에 걸렸을 때 그걸 본 친구가 있대요. 물론 호랑이가 도와주려고 했지만 겁에 질려서 호랑이의 도움을 거절했다고 그랬어요. 무서워서 벌벌 떨었다던데요."

노루가 길게 설명했다.

"거짓말하지 마! 넌 모르겠지만 분명히 저 호랑이가 나를 잡아먹으려고 했단 말이야! 증거 있어? 대체 누가 봤다는 거야? 만약에 거짓말이라면 넌 내가 가만두지 않겠어!"

늑대는 노루에게 겁을 주며 협박했다.

"증거? 증거는 몰라도 증인이 셋이나 있는걸? 그렇지 않아도 늑대가 거짓말하는 것 때문에 우리 엄마가 증인들을 데리러 갔어요. 저어기~ 저기 오네요. 증인들 말을 직접 들어보세요."

잠시 후 다람쥐 두 마리와 밍크 한 마리가 도착했다.

"너희들인가 보구나~ 거짓말할 생각하지 마. 그랬다간 나한테 혼날 줄 알아~"

늑대는 눈을 부라리며 겁을 주었다.

"자! 일단 늑대는 빠지고 너희들이 본 대로 말해보거라!"

노란여우 할아버지는 늑대에게 더 이상 말을 하지 못하게 제지하고 증인들이 말을 할 수 있도록 분위기를 만들어 주었다.

"네, 할아버지. 늑대의 말은 새빨간 거짓말이에요. 저희도 덫에 걸리면 어떻게 해야 하는지 배운 것 때문에 늑대가 살려 달라고 소리를 지르는 걸 들었어요. 혹시나 도울 일이 있나 해서 급하게 늑대가 있는 곳에 찾아갔어요. 그런데 거기엔 저 호랑이가 늑대와 함께 있었어요. 다람쥐는 저보다 먼저 와 있었는데 저에게 나서지 말라고 했어요. 나쁜 녀석을 굳이 도와줄 필요가 있겠냐고 말이에요. 게다가 일단 힘이 센 호랑이가 늑대를 도와준다고 하니 제가 있어봐야 도움이 될 것도 없었고요. 그런데 늑대를 보니까 네 다리를 달달달 떨고 있더라고요. 호랑이가 정말 무서웠나 봐요. 아마~ 오줌도 지렸을 걸요. 아무튼 늑대는 호랑이가 도와주려 하는데도 괜찮다면서 그냥 가라고 했어요. 숲 속 동물 중 누군가 도와줄 거라고요. 글쎄요. 그런데 제가 봤을 땐 늑대 가족들이 나타나지 않았다면 아마도 사냥꾼이 잡아갔을 거예요. 하긴, 늑대 털은 사냥꾼들이 그다지 좋아하지 않아서 잡아가지 않았을 수도 있지만요.

밍크는 자신의 예쁜 털을 뽐내며 말했다.

"맞아요. 저는 처음부터 다 봤는데 늑대는 완전히 겁쟁이였어요. 우리같이 약한 동물들에게는 힘으로 위협하고 괴롭히고 잡아먹더니 호랑이 앞에서는 완전히 겁쟁이였어요. 무섭다고 오줌이나 싸는 숲 속에서 최고 겁쟁이예요."

"어쩌면, 시베리아 최고의 겁쟁이 일지도 모르죠."

두 다람쥐가 말했다. 늑대는 더 이상 한 마디도 하지 못한 채 땅만 쳐다보더니 이내 벌떡 일어나 동물들 사이를 헤치고 달아나 버렸다. 다른 늑대들 역시 자신이 늑대라는 것이 부끄러웠는지 잽싸게 달아나 버렸다.

"어쩐지~ 저런 깡패 같은 녀석들이 웬일로 모임에 다 나온다 했더니 이유가 있었구먼. 호랑이 앞에서 오줌을 지린 부끄러운 자신의 행동을 감추기 위해 호랑이를 내쫓아 버리려 했던 모양이야. 어쨌든 우리 숲에 도움을 요청하러 먼 길을 찾아온 빠른발에게 우리 숲을 대표해서 용서를 비네. 미안해. 빠른발아~"

노란여우 할아버지는 어린 호랑이 빠른발의 코를 핥아 주었다.

*

우리 노란민들레숲 동물들은 빠른발에게 용서를 구했어요. 빠른발은 우리를 용서해 주었고요. 하지만 우리 숲의 동물들은 빠른발을 어떻게 도와주어야 할지 알 수가 없었어요. 사냥꾼에게 대응할 수 있는 방법이 달리 없으니까요. 그렇다고 그저 발만 동동거리고 있을 수만은 없었어요. 노란여우 할아버지는 발이 빠르고 건강한 동물들에게 지원하라고 했지만 선뜻 나서는 동물이 없었어요. 그래서 결국 태니, 빠른발에게 도움을 받은 노루 이글대는눈, 시베리안 허스키 화들짝 그리고 아빠의 친구인 갈색곰 무지큰발이 함께 가기로 했죠. 빠르기로 하면 누가 먼저랄 것도 없이 다들 달리기에는 자신이 있었어요. 물론 엄마는 태니가 위험한 임무에 자발적으로 참여하는 게 탐탁지 않은 눈치였지만 그 아빠의 그 아들이네~ 하며 순순히 보내주셨지요. 나는 지난번 덫에 걸려 다친 발이 다 낫지 않아 오래 뛰지 못해서 숲에 남기로 했어요. 오해하지 마세요. 절대로 무서워서 핑계 대고 빠지거나 한 것은 아니니까요. 나는 늑대처럼 나쁜 동물이 아니거든요. 어쨌든 다들 개구리낮잠자는숲으로 급히 떠났어요. 도움이 될 지는 알 수 없었지만 한시라도 빨리 가는 게 중요했으니까요. 빠른발이 앞장서고 모두들 쉬지 않고 뛰었어요. 빠른발은 잠시라도 쉬고 싶었지만 부모님을 생각하면 그럴 수가 없었대요. 게다가 곤경에 처한 개구리낮잠자는숲의 동물들을 구해야 하니까요. 빠른발과 함께 간 동물들은 앞으로 우리 시베리아의 동물들을 위해 활약할 중요한 구성원이에요. 용감하고 멋지고 남을 도울 줄 아는 정의로운 동물들이죠. 내가 빠져서 아쉽죠? 나는 다리가 아파서 그만~ 아무튼. 이 동물들을 우리 노란민들레숲에서는 『숲의 용사들』이라고 부르기로 했어요. 숲의 용사들! 짜잔~ 정말 멋진 이름이죠? 사실 내가 지은 이름이거든요.

　숲의 용사들은 바람처럼 빠르게 개구리낮잠자는숲에 도착했어요. 하지만 이미 숲은 동물들의 지옥이 되어 있었어요. 얼마 전까지만 해도 너무 아름답고 조용해서 개구리마저 낮잠을 잔다는 표현을 하던 숲이었는데 여기저기 죽은 동물들이 가죽이 벗겨진 채 널려 있었어요. 사냥꾼들은 동물들을 잔인하게 죽이고 숲을 떠난 거예요. 빠른발은 바닥에 엎드려 울었어요. 숲의 용사들은 빠른발에게 어떤 위로의 말도 할 수가 없었어요. 아빠의 흔적도 없고 어디로 잡혀갔는지 살았는지 죽었는지조차 알 수가 없었던 거예요. 하늘은 까마귀 떼가 까맣게 채우고 있었고 독수리들도 빙빙 돌고 있었어요. 우린 새들과는 말을 할 수가 없었기 때문에 빠른발의 부모님이 어디로 끌려갔는지 물어볼 수도 없었어요. 숲에는 살아있는 동물이 전혀 보이지 않았어요. 만약 있었다 해도 모두 숲을 버리고 멀리 도망쳐 버렸을 거예요.

8화 - 노란민들레숲의 최후

　숲의 용사들은 다시 마을로 돌아왔어요. 이제는 빠른발도 노란민들레숲의 용사들 중 한 명이 되었죠. 빠른발은 역시 호랑이답게 용맹스러운 동물이었어요. 아무리 어려운 일이 닥치고 위험한 일이 있어도 항상 제일 먼저 앞서 갔어요. 비록 어린 호랑이라고 하지만 용사들 중에선 나이도 제일 많았어요. 물론 무지큰발이 있긴 했지만 동물 나이로는 큰 차이가 없어요. 인간 나이로 치면 무지큰발, 빠른발, 화들짝, 저, 태니, 이글대는눈 이런 순이예요. 숲의 용사들은 노란민들레숲으로 돌아오는 길에 처참한 광경을 수도 없이 목격했어요. 불에 타서 사라져 버린 숲, 산불과 사냥꾼을 피해 달아나다가 강과 계곡에 빠져 죽은 동물들, 가죽이 벗겨진 채 버려진 동물들. 가죽조차 필요가 없거나 예쁘게 생기지 않은 동물들은 그냥 여기저기 버려져 있었어요. 하늘엔 온통 독수리나 까마귀 떼뿐이었죠. 세상은 새떼로 가득한 것만 같았어요. 그리고 아직까지 불에 타지 않은 숲에는 어린 동물들이 가족을 잃은 채 굶어 죽었거나 살아있다 해도 움직일 수 없을 정도로 기운이 없었어요. 며칠 동안 아무것도 먹지 못한 채 울다가 잠이 든 아기 동물들도 있었어요. 상처의 피가 멎지 않아 고통 속에 죽을 날만 기다리는 동물은 셀 수도 없었어요. 산불을 피하지 못해 불에 타 죽은 동물도 있었어요. 화상만 입고 산불을 피하긴 했지만 털이 다 타버려서 이번 겨울을 어떻게 버틸 수 있을지 걱정하는 동물도 많았어요. 어쩌면 털이 타서 사냥꾼에게서 도망칠 수 있었을 수도 있어요. 사냥꾼이 설치해 놓은 덫에 걸린 상태로 굶어 죽은 동물도 있고 간신히 목숨만 부지하고 있는 상태의 동물도 있었어요. 숲의 용사들은 노란민들레숲으로 돌아오는 길에 구할 수 있는 동물은 모두 구해줬어요. 그래서 떠날 때는 다섯 마리의 동물들이었지만 숲으로 돌아왔을 때는 거의 수백 마리의 동물들이 함께 왔죠. 그래서 노란민들레숲은 다치고, 아프고, 배고픈 동물들로 가득 차 버렸어요. 마음이 여린 이글대는눈은 돌아오는 내내 동물들을 돌보느라 다른 용사들보다 더 피곤했을 거예요. 힘들어하는 동물들을 그냥 지나치지 못하고 일일이 다 챙겨주는 엄마 같은 존재였다고 해요. 노란민들레숲으로 돌아온 숲의 용사들은 노란여우 할아버지에게 바깥 소식을 그대로 전했어요. 과장할 것도 없었어요. 있는 그 자체만으로도 처참하기 그지없었거든요. 더군다나 함께 돌아온 동물들이야말로 그 현장을 경험한 증인이었으니까요. 용사들은 참혹한 현장과 잔인한 사냥꾼에 대해 설명하기 시작했어요. 이야기를 들은 노란여우 할아버지는 비장한 표정으로 비상대책회의를 소집했어요. 이제 다른 숲의 일이라고 생각하며 방관할 때가 아니라고 생각했거든요.

노란민들레숲의 동물들은 이제 거의 다 모인 것 같다. 너른바위광장에는 숲의 동물들이 빼곡했다. 착한 동물, 못된 동물, 큰 동물, 작은 동물 할 것 없이 모두 모여들었다. 수천 년을 지내온 노란민들레숲의 역사상 이 정도 규모의 모임은 없었다. 노란민들레숲에서 가장 나쁜 녀석들로 낙인이 찍혔던 늑대들도 참여했다. 이번 위기는 그냥 지나칠 문제가 아니란 것을 알고 있는지 다른 동물들의 눈치를 보며 삐죽삐죽 기어들어온 것이다.

"에헴~ 우리 숲에 사는 모든 동물들이 처음으로 거의 다 모인 것 같군요. 에헴~ 다들 이미 잘 알고 있겠지만, 에헴~ 지금 우리 숲에는 다른 숲에서 사냥꾼의 습격으로 가족과 집을 잃고 도망쳐 나온 친구들이 많이 있습니다. 에헴~ 우리 숲에 동물이 이렇게 많았던 적도 없습니다. 아직 자세한 내용까지는 잘 모르겠지만, 에헴~ 간단하게 설명을 하자면, 에헴~ 지금 우리 숲 바로 옆에 있는 개구리낮잠자는숲과 반짝반짝돌멩이마을은 이미 폐허가 되어버렸습니다. 그곳에서 피난 온 동물들도 제법 있지요. 에헴~ 에헴~ 그리고 알다시피 우리 숲의 용사들 중에 화들짝은 인간들의 마을에서 도망쳐 나온 동물인데 그의 말에 의하면, 에헴~ 사냥꾼들의 포악함은 그 어떤 못된 동물들보다 극악무도한 존재입니다. 이제는 우리 동물들을 잡으려고…… 에헴~ 숲에다 불을 질러서 우리의 집까지 모두 태워버리고 있습니다. 에헴~ 지금 이대로 가만히 있다간 우리 노란민들레숲의 동물들 역시 집과 가족을 모두 잃고 말 겁니다. 그래서~ 에헴~ 오늘 중대한 사안을 가지고 몇 가지 의논할 게 있습니다. 에헴~ 그것이 뭔고 하니, 에헴~ 우리 노란민들레숲의 지도자를 다시 뽑는 것과 우리가 사냥꾼들에게 어떤 식으로 대응을 할 것인지 결정하는 것입니다. 에헴~ 그리고 오늘 이 회의를 끝으로 나는 지도자 자리를 내놓겠습니다."

노란여우 할아버지는 생각지도 못한 의견을 발표했다. 숲의 동물들이 웅성대기 시작했다.

"할아버지~ 우리 숲에서 제일 경험도 많고 노련하신 분께서 우리 숲을 계속 이끌어 주셔야만 해요. 대체 누가 할아버지를 대신할 수 있단 말이에요? 절대 있을 수 없는 일이에요."

누군가 노란여우 할아버지의 결정에 반대의견을 말하자 대부분의 동물들이 그 말에 동의하며 웅성댔다.

"맞아요."

"이런 중대한 시기에는 경험 많은 할아버지께서 계속 우리를 이끌어 주셔야 해요!"

"옳소!"

"네! 절대 안 돼요!"

노란여우 할아버지는 동물들을 돌아보며 조용해지기를 기다렸다가 다시 말을 이었다.

"에헴~ 지금은 나처럼 늙고 힘없고 느려 터진 동물보다 명석하고 용기 있는 동물이 우리 마을을 지켜야 할 때입니다. 에헴~ 물론, 나는 뒤에서 필요한 부분을 돕겠습니다. 우리는 지금 빨리 계획을 잡고 재빠르게 행동해야 합니다. 그렇지 않으면 우리의 생사가 어떻게 될지 모릅니다. 에헴~ 나도 오랜 시간 동안 깊게 생각하고 내린 결정이니 따라 주길 바랍니다. 자! 지금부터 우리 숲의 새로운 지도자가 될 동물을 추천해 주세요. 에헴~ 자기를 스스로 추천해도 됩니다. 에헴~ 우리는 지금 가장 명석하고 용감하고 정의로운 동물을 지도자로 뽑아야만 합니다."

노란여우 할아버지가 말을 마치자 동물들은 다시 웅성거리기 시작했다. 서로들 누굴 추천해야 할지 의논하는 것이다.

"무지큰발을 추천합니다. 비록 우리 숲에서 태어난 동물은 아니지만 용감하고 빠릅니다."

원래 노란민들레숲에서 태어나고 자란 갈색곰이 말했다.

"고슴도치 사각턱을 추천하겠습니다. 어떤 사냥꾼도 고슴도치를 잡아가지 않기 때문에 언제라도 사냥꾼을 감시할 수 있습니다."

누군가 사각턱이라는 고슴도치를 추천하자 여기저기서 키득거리기 시작했다.

"아무도 안 잡아가는 게 능력이긴 하겠네~"

"하긴 못생겼잖아!"

"턱은 또 왜 사각턱 이래니?"

동물들은 한참을 웃어댔다.

"저희 아빠 땜통을 추천합니다. 용감하고 힘도 세요."

어린 밍크 한 녀석이 제 아빠를 추천했다.

"우리 까칠한흰수염을 추천합니다. 빠르고 힘도 세고 영리합니다."

이번에는 늑대였다. 지난번에 빠른발이 도움을 요청하러 왔을 때 거짓말을 했던 그 늑대였다. 갑자기 동물들은 우우~ 하면서 야유했다. 여기저기서 투덜거리는 소리들이 들려왔다.

"저리 꺼져~ 너희 같은 거짓말쟁이에게 우리 숲을 맡길 수는 없어!"

"미친 거 아니야?"

모두들 한 마디씩 거들고 나섰다. 그러자 노란여우 할아버지가 동물들에게 안정을 요구하며 나섰다.

"에헴~ 자~ 여러분. 지금은 추천을 받는 자리입니다. 지난날 어떤 실수를 했던 그건 중요치 않아요. 에헴~ 지금 현재가 더 중요한 겁니다. 만약에 잘못을 한 동물이 추천될 수 없다면 우리들 중 누가 추천될 수 있겠습니까? 에헴~ 에헴~ 그리고 우리들 중 실수를 하고 누군가에게 들킨 적이 있는 동물과 아무도 모르게 실수를 감춘 동물이 있다고 한다면 누구는 되고 누구는 안 된다고 할 수 있을까요? 에헴~ 이건 분명히 양심적인 부분도 있습니다. 에헴~ 그리고 말입니다. 한번 실수를 했다고 해서 모든 권리가 박탈된다면 실수를 했던 동물은 앞으로 실수를 하지 않으려고 노력조차 하지 않을 것입니다. 그리고 언제나 여기저기서 실수를 하고 다닐 겁니다. 에헴~ 더 잘할 이유가 없잖아요. 에헴~ 그러니까 그 동물은 한번 실수를 했다고 해서 실수하는 동물로 낙

인찍혀서 다른 동물들이 실수했던 동물이라고 손가락질을 한다면 어떤 동물이 두 번 다시 실수하지 않으려고 노력을 하겠습니까? 에헴~ 아무튼 우리는 지난 실수보다 앞으로 얼마나 더 잘할 것인지가 중요한 것입니다. 에헴~"

노란여우 할아버지가 긴 연설을 마치자 동물들은 모두 환호성을 보냈다. 숲 속이 요란했다.

"그렇다면 저도 한번 후보로 출마하고 싶습니다."

족제비 아저씨 꼬리만한뭉치였다. 동물들이 일제히 꼬리만한뭉치에게 집중하자 한마디 더 했다.

"제가 예전에 우리 숲 동물들에게 본의 아니게 실수했던 적이 있는데 이번 기회에 만회해 보고자 합니다."

노란여우 할아버지는 꼬리만한뭉치의 출마 의견을 알겠다는 듯이 고개를 끄덕이며 한마디 붙였다.

"자~ 보세요. 얼마나 용기 있습니까? 에헴~ 저는 동그란엉덩이를 추천하고자 합니다. 아시다시피 그녀는 죽은 뾰족귀의 아내로서, 두 부부는 우리 노란민들레숲을 위해 중요한 일을 해 왔습니다. 게다가 잡다한 일들까지 손수 나서서 해결해 왔습니다. 큰 동물에 비해 힘이 약한 편이지만 영리하기로 치자면 둘째가라면 섭섭할 겁니다. 동그란엉덩이는 내가 지도자로 있기 전에 우리 숲의 지도자로서 봉사해왔던 은빛여우 『콧수염네가닥』의 딸이기도 합니다. 게다가 숲의 용사인 태니와 손이의 엄마이기도 합니다."

노란여우 할아버지는 직접 동그란엉덩이를 추천했다.

"저어기~ 저는 그럴 만한 동물이 아닙니다. 저는 그저 두 아이의 엄마일 뿐입니다."

동그란엉덩이가 극구 추천을 거절했다. 하지만 노란여우 할아버지의 한 마디로 더 이상의 거절은 할 수 없었다.

"지금. 개인이 하고 싶고 말고 하는 의지의 문제가 아니라네~ 에헴~ 지금은 우리 숲의 미래가 달린 일을 의논하고 있는 게야. 에헴~ 그리고 누굴 뽑든 그건 우리 숲의 동물들이 결정할 일이야. 내 말을 따르게!"

투표는 생각보다 신속하게 진행됐다. 노란여우 할아버지가 지정해 준 자리에 가서 서 있으면 숫자로 세어 당선이 되는 방식이었다. 결과는 동그란엉덩이의 압승이었다. 노란여우 할아버지가 제일 기뻐하는 것 같았다. 늑대 까칠한흰수염은 얼마나 숲의 지도자가 되고 싶었는지 투표에서 떨어지자 온갖 거친 말을 내뱉으며 숲을 떠나버렸다. 이번엔 숲을 아주 떠난 것이었다. 노란여우 할아버지의 생각과는 달리 나쁜 생각을 버리지 못하는 동물은 어쩔 수 없는 것 같았다. 추천된 다른 동물들은 숲의 지도자가 되지는 못했지만 동그란엉덩이를 도와 숲과 동물들을 보호하기 위해서 힘을 모으기로 했다. 특히 고슴도치는 어떤 사냥꾼들도 거들떠보지 않는 동물이라 숲 속의 모든 고슴도치들과 함께 사냥꾼 마을과 숲의 주변을 경계하는 역할을 맡았다. 발이 빠르고 눈에 띄지 않게 숨는 능력을 가진 족제비는 각 동물들에게 소식을 전달하는

연락책을 맡았다. 밍크는 숲 속 동물들이 비상시에 대처할 수 있는 능력을 키우기 위해 어린 동물들을 대상으로 비상시 훈련을 담당하기로 했다. 갈색곰 무지큰발은 동그란엉덩이를 도와 옆에서 힘을 써야 하는 일을 돕기로 했다. 특히 무지큰발은 이미 뾰족귀와 깊은 인연도 있는 데다 가족도 없었기 때문에 숲을 위해 모든 시간을 쓰고 싶다고 했다.

노란민들레숲의 평화는 그리 오래가지 못했다. 숲의 경계를 맡았던 고슴도치-사각턱의 식구들이 노란민들레숲으로 들어오는 사냥꾼 무리를 발견한 것이다. 족제비-꼬리만한뭉치의 식구들은 부리나케 달려와 동그란엉덩이에게 소식을 전했다. 동그란엉덩이는 밍크-땜통에게 훈련한 대로 아이들을 데리고 사냥꾼들의 반대 방향으로 도망치라고 했다. 숲 속 동물들은 꼬리만한뭉치의 가족들을 통해 이 암담한 소식을 전해 듣고 모두 숲을 떠나기 시작했다. 노란민들레숲의 최후가 다가오고 있었다. 태니와 손이는 사냥꾼을 감시하다가 동물들이 제때 도망가지 못할 경우에 사냥꾼들을 유인하기로 했다. 계획된 작전 중 일부였다. 인간에게는 접근하기 가장 어렵고 위험한 지역으로 유인하여 뛰거나 함부로 총을 쏠 수도 없도록 하기 위해서다. 동물들은 신속하게 사냥꾼들의 반대 방향으로 도망쳤다. 동그란엉덩이는 맨 앞에서 동물들을 이끌고 무지큰발은 맨 뒤에서 뒤처지는 동물을 챙겼다.

"손이형! 사냥꾼들의 수가 너무 적다고 생각하지 않아? 빠른발이 살던 숲은 사냥꾼이 엄청나게 많이 왔었다고 했잖아. 우리가 너무 서두르는 것은 아닐까? 우리 숲을 염탐하러 온 걸 수도 있잖아."

태니가 의심스럽다는 투로 말했다.

"네 말을 듣고 보니까 이상하긴 한데?"

손이 역시 사냥꾼의 수가 너무 적은 것이 이상하다는 생각을 버릴 수가 없었다.

"뭔가 이상해. 잘못된 것 같아!"

"빠른발은 어디 있어?"

"어? 같이 왔는데 어디 갔지?"

손이와 태니는 빠른발의 냄새를 찾아 킁킁거렸다.

"저쪽이야! 태니가 먼저 냄새를 맡았다.

"어! 그래. 나도 맡았어! 저기에 엎드려 있는데? 우리도 가보자."

손이와 태니는 수풀과 나무를 헤치며 빠른발에게 다가갔다.

"쉿!"

그들이 다가오는 것을 눈치챈 빠른발이 눈짓했다.

"뭐야? 왜 그래?"

태니가 물었다,

"역시 사냥꾼들이 다른 쪽에서도 오고 있어! 우리 숲에서는 두 방향에서 몰고 왔었거든. 그러다 한쪽에서 산불을 냈어!"

빠른발이 말했다.

"그렇다면 혹시 우리 숲도 태우려는 것 아닐까?"

손이가 화들짝 놀라며 말했다. 하마터면 소리를 지를 뻔했다.

"사냥꾼 수가 적은 이유가 그거 같아."

태니가 말했다.

"그렇다면 엄마가 동물들을 이끌고 간 방향에 사냥꾼들이 기다리고 있을 수도 있잖아."

손이는 심장이 덜컹하고 내려앉았다. 아니나 다를까 앞쪽에 다가선 사냥꾼들이 숲에 불을 지르는 게 보였다.

"안 되겠다. 엄마에게 가서 빨리 알려야 해!"

태니가 빠른발과 손이를 잡아끌었다. 산불 때문에 멍하니 있던 빠른발과 손이는 정신을 차린 후 뒤쪽을 향해 뛰기 시작했다. 최대한 빨리 소식을 전해야 한다. 다행인지 불행인지는 알 수 없지만 사냥꾼이 불을 지른 곳과 동물들이 가는 방향은 숲에서 가장 짧은 곳이다. 노란민들레 숲은 거의 타원형이다. 빠른발, 손이, 태니는 숲을 가로질러 뛰었다. 뒤처진 동물들을 데리고 가는 무지큰발의 모습이 보였다.

"큰일 났어요. 사냥꾼들이 불을 질렀어요. 잘은 모르겠지만 다른 쪽에 사냥꾼들이 지키고 있을지도 몰라요. 탈출로를 바꿔야 할지도 몰라요."

빠른발과 태니는 동그란엉덩이를 찾아 뛰어갔다. 손이는 무지큰발에게 상황을 설명했다. 무지큰발과 손이 역시 동그란엉덩이를 찾아 뛰기 시작했다. 빠른발과 태니는 기나긴 동물들의 피난행렬을 비켜 앞쪽으로 뛰었다. 하지만 동물들이 너무 많아 속도가 나지 않았다.

"엄마에게 멈추라고 전달해 주세요."

태니가 소리쳤다. 이런 식으로 뛰면 시간이 늦을지도 모를 일이다. 태니의 말은 예상했던 것보다 빠르게 전달됐다. 마침 동그란엉덩이는 혹시나 싶은 생각이 들어 화들짝을 시켜 탈출로를 확인하러 보낸 참이었다. 그런데 화들짝보다 나무들이 타는 메케한 냄새가 먼저 도착했다. 역시 탈출로 쪽에서부터 날아온 냄새였다. 한참이 지나서야 화들짝이 평소보다 화들짝 놀란 표정을 하며 돌아왔다.

"불이 났어요. 사냥꾼들이 산불을 냈어요!"

설마 했던 일이 벌어진 것이다.

"엄마! 어떻게 해요?"

손이가 네 발을 동동 구르며 물었다.

"북극성 방향으로 가자. 사냥꾼들은 추워서 그쪽을 싫어할 거야!"

"하지만 거긴 먹을 게 없잖아요!"

손이는 동물들이 숲을 떠나 사는 것이 걱정되었다.

"나도 알아. 하지만 다른 길은 없어. 다른 쪽은 반짝반짝돌멩이마을과 개구리낮잠자는숲인데, 거기로 갈 순 없잖아. 우리에게 남은 선택은 없어. 나에게 한 가지 생각난 곳이 있어. 거기로 가면 돼!"

동그란엉덩이는 하늘을 보며 말했다.

"네! 알았어요. 엄마는 손이형과 무지큰발 아저씨하고 먼저 가세요. 제가 화들짝하고 맨 뒤에서 동물들을 챙길게요."

태니는 곧장 행렬의 맨 뒤쪽으로 뛰어갔다. 화들짝 역시 후다닥 소리를 내며 태니의 뒤를 따랐다.

나무 타는 메케한 냄새가 조금씩 옅어지고 있다. 사냥꾼이 불을 지른 곳에서 조금씩 멀어지고 있다는 증거다. 태니와 화들짝은 숲을 돌아 북극성 방향으로 뛰었다. 겨울이 코앞이라 북극성 방향에 사는 동물들은 노란민들레숲 같은 따뜻한 곳으로 이동하는 시기다. 태니는 엄마에게 대체 어떤 대안이 있다는 것인지 알 수 없었다. 사실 엄마 말대로 노란민들레숲은 북극성 방향을 제외하고 빠져나갈 수 있는 길도 없다. 또 다른 문제도 있다. 숲의 끝에는 큰 호수가 가로막고 있다. 호수가 조금 얼어 있긴 하지만 과연 동물들이 건널 수 있을 정도로 단단하게 얼었는지 알 수 없다. 모르긴 해도 호수를 만날 즈음이면 이미 겨울이 찾아와 있을지도 모를 일이다. 사냥꾼들이 얼마나 빨리 따라올 것인지도 예측할 수 없다. 무사히 호수를 건너게 된다면 노란민들레숲과는 영원히 헤어지는 것이다. 빠른발 혼자서는 며칠 부지런히 뛰면 갈 수 있는 곳이다. 하지만 모든 동물들을 이끌고 가는 거라 십여 일은 각오해야 한다. 북극성 방향으로 가면 갈수록 식량을 구하는 것이 점점 더 힘들어질 것이다. 나이가 많은 동물과 어린 동물들이 과연 버텨줄 수 있을지도 걱정이다. 사냥꾼들이 추적만 하지 않는다면 숲의 끝부분에서 이동을 멈추고 당분간 지내야 될 수도 있다.

한참을 뛰어간 화들짝과 태니는 주변이 안전한지 확인했다. 태니는 화들짝을 남겨 두고 다시 동물들에게 돌아갔다. 매일 그런 식으로 이동해야 했다. 겨울 준비를 하기 위해 노란민들레숲으로 내려온 동물들은

135

다시 북극성 방향으로 가는 것이 걱정이었다. 그들은 시베리아의 겨울에 대해 누구보다도 알고 있었다. 익숙할 정도로 말이다. 겨울의 시베리아는 생명이 존재하지 않는 곳. 추위와 배고픔만이 있는 곳이다. 시베리아에서도 가장 추운 지역의 겨울을 겪어보지 못한 동물들은 절대그 고통을 알 수 없다는 걸 모두들 알고 있었다.

*

노란민들레숲은 바나나처럼 생겼어요. 바나나를 어떻게 아냐고요? 다아는 방법이 있지요. 아무튼 노란민들레숲은 위아래로 긴 숲이에요. 양쪽으로는 계곡이 있어서 고립된 지역 같지만 물이 깊지 않고 수량 역시 많지 않아서누구나 쉽게 건널 수 있어요. 하지만 북극성 방향은 상황이 좀 달라요. 엄청나게 큰 호수는 아니지만 폭이 상당히 넓은 호수가 가로막고 있어요. 우리는어떻게든 그 호수를 건너야 노란민들레숲을 벗어날 수 있어요. 사냥꾼이 더이상 추적하지 않는다면 우리도 노란민들레숲 끝의 호숫가 근처에서 겨울을나면 될 거예요. 하지만 만약 사냥꾼들이 계속 추적한다면 어쩔 수 없이 호수를 건너야만 하거든요. 그런데 엄마는 대체 무얼 알고 있는 걸까요? 너무 다급한 상황이라 이야기를 듣지는 못했지만 뭔가 대단한 게 있는가 봐요. 노란여우 할아버지는 엄마가 뭘 말하는지 알고 계신 것 같았어요. 그나저나 빠른발이 아니었다면 노란민들레숲의 동물들은 도망도 치지 못한 채 산불에 고립되거나 사냥꾼들에게 모두 죽임을 당했을 거예요. 그때 못된 늑대 녀석들

136

말에 속아서 빠른발을 돕지 않았다면 우리 동물들은…… 어휴~ 생각만 해도 끔찍해요. 이렇게 해서 우리 노란민들레숲 동물들의 기나긴 여정이 시작되었습니다.

9화 - 전설의 숲

혹시 전설이라는 걸 믿나요? 전설이라는 단어는 말 그대로 전해 내려오는 이야기를 뜻해요. 우리 시베리아의 동물들에게도 수천 년 동안 전해 내려오는 이야기들이 있어요. 어떤 전설은 허무맹랑한 것도 있고 실재로 존재했던 것도 있어요. 사실 그것을 믿고 안 믿고는 우리들의 몫인 거죠. 그런데 어떤 동물들은 그런 전설 중에서 말도 안 되는 허무맹랑한 것들 때문에 모든 것을 바치기도 해요. 더 이상 어떤 희망도, 방법도 없다고 자포자기할 땐 말도 안 되는 희망에 기대를 하게 되기도 하잖아요.

*

여기저기서 나이가 많은 동물들의 몸이 아파 낑낑거리는 소리, 어린 동물들의 보채는 소리가 들려온다. 어떤 동물들은 벌써 잠이 들어버렸다. 집을 떠난 지 겨우 첫날밤이지만 사냥꾼을 피해 급히 이동하느라 체력 소모가 심했다. 게다가 갑작스럽게 떠나게 된 거라 정신적인 스트레스는 말할 수 없을 정도였다. 동물들의 지도자 역할을 맡은 지 얼마 되지 않은 동그란엉덩이도 마찬가지였다. 갈색곰 무지큰발, 고슴도치 사각턱, 밍크 팸통, 족제비 꼬리만한뭉치 역시 동물들을 살피느라 쉴 여유가 없다. 시베리안 허스키 화들짝, 흰얼룩호랑이 빠른발, 노루 이글대는눈 그리고 은빛여우 손이와 태니 역시 늙거나 어린 동물들을 보살피기 위해 종일 뛰어다녀야 했다. 대부분의 동물들은 아직도 사냥꾼의 습격을 받고 고향을 떠나온 걸 실감하지 못했다. 믿고 싶지 않았던 것이다. 원래 밤에나 활동하던 야행성 동물들은 낮과 밤이 뒤바뀌었지만 억지로 잠을 청했다. 밤이 깊자 대부분의 동물들이 코를 골며 꿈나라로 골아떨어졌다. 그런 후에야 동물들을 보살피던 지도자들과 숲의 용사들이 한 곳에 모였다. 식량 문제, 향후 계획 등을 논의하기 위해서다. 동물들의 운명이 달려있기 때문에 모두들 정신을 놓을 수가 없었다. 노란여우 할아버지 역시 힘든 기색이 역력했다.

"에헴~ 다들 고생이 많았네~"

노란여우 할아버지는 곧 쓰러질 듯 피곤해 보였지만 새로운 지도자들과 숲의 용사들을 격려했다.

"고맙습니다. 할아버지. 그나저나 좀 쉬시지 왜 나오셨어요."

동그란엉덩이가 노란여우 할아버지를 부축하며 말했다.

"아직은 버틸 만해. 지금은 나도 도와주어야 하는데, 내 몸 하나 편하자고 에헴~ 누워 있을 수는 없지. 다들 모여서 대책회의를 하려나 본데. 내가 제때 찾아왔군."

노란여우 할아버지는 수풀 위에 자리를 잡고 엎드렸다.

"잘 오셨어요. 어차피 저희 생각만으로는 좋은 대책이 나올 거라는 기대는 하지 않았어요. 게다가 빠른발이 아니었다면 우리 숲 속 동물들이 지금쯤 어떻게 되었을지…… 아무튼 빠른발에게 다시 고맙다고 말해주고 싶었어요."

"아니~ 제가 뭘요. 저도 이제는 노란민들레숲 식구인데 당연한 일을 한 걸요."

빠른발은 겸손하게 답했다.

"알겠네. 에헴~ 하지만 너무 겸손할 필요는 없어. 에헴~ 충분히 칭찬받을 행동을 한 거야. 영웅적인 행동이기도 하고 말이지."

노란여우 할아버지는 앞발을 모아 엎드린 후 턱을 괴며 말을 이었다.

"에헴~ 혹시 말이야, 동그란엉덩이 자네는 무지개마을로 가려고 하는 겐가?"

"네~ 그렇지 않아도 지금 그 이야기를 하려던 참이었어요."

동그란엉덩이의 말에 몇몇 동물들이 깜짝 놀라며 눈을 반짝였다. 동그란엉덩이는 눈빛을 의식하며 다시 말을 이어갔다.

"우리 숲의 동물들이 믿지 않을 것 같아서 구체적인 이야기를 하지 않았지만 저는 무지개마을 입구까지 다녀온 적이 있어요. 물론 뾰족귀가 저를 데리고 간 거지만."

"글쎄~ 난 자네 말을 믿네. 에헴~ 하지만 다른 동물들은 무지개마을
이 상상 속에만 있는 곳으로 알고 있지. 에헴~ 무지개마을은 우리 동물
들에게는 그저 전설로만 알려진 곳이 아닌가? 에헴~ 솔직히 말하자면,
에헴~ 나는 자네가 거짓말을 한다고 생각지는 않아. 에헴~ 하지만 무
지개마을이 실제로 존재한다는 건 믿을 수가 없어."

노란여우 할아버지는 긴 한숨을 내쉬었다.

"그렇지만 우리가 달리 갈 곳이 있는 것도 아니잖아요. 사냥꾼들은
숲을 태우고 멀리까지 사냥을 다니고 있어요. 사냥꾼 마을도 너무 많아
지고 있고요. 노란민들레숲은 물론이고 호수 건너편 숲에 사는 동물들
역시 사냥꾼들의 손에 죽임을 당할 거란 말이에요."

동그란엉덩이는 목소리에 힘을 주어 말했다. 현실적으로 동그란엉
덩이의 말이 하나 틀린 게 없었다. 도망치거나 피한다고 해서 해결될
일이 아니란 걸 누구나 알고 있었다. 그런데 가장 큰 문제는 가죽이 두
꺼운 동물조차도 버텨 내기 힘든 시베리아의 겨울이 아주 가까이 왔다
는 것이다. 북극성 방향으로 더 올라간다는 건 사실상 자살행위나 다름
없다. 동그란엉덩이가 무지개마을의 입구까지 다녀온 적이 있다고는
하지만 그 위치도 정확하지 않다. 길을 알고 있던 뾰족귀도 죽고 없다.
확실치 않은 기억만 믿고 전설 속의 무지개마을을 찾아간다는 건 무모
한 계획이다. 어쩌면 무모하다기보다는 어렵게 죽는 방법을 택한 것이
라고 할 수도 있다.

"무지개마을로 가는 건가요?"

태니가 물었다.

"응~ 일단은 그래~"

동그란엉덩이가 대답했다. 태니와 손이는 어릴 때부터 뾰족귀와 동그란엉덩이의 모험담을 수도 없이 들었다. 특히 무지개마을 모험은 그 무엇보다 환상적이었다. 그런데 노란여우 할아버지의 말에 따르면 노란민들레숲의 어떤 동물도 무지개마을로 가는 길을 모른다. 그렇다고 해서 달리 다른 방법이 있는 것도 아니다.

"무지개마을로 가는 길이 어디까지 기억나세요?"

손이가 물었다.

"응~ 나도 최대한 기억해보려고 노력하는 중인데. 지금까지 기억나는 건 『얼지않는연못』을 지나서 갔다는 거야. 거기까지 간다면 다시 기억날 것 같아. 무지개마을까지 가는 길은 굉장히 멀고 긴 여행이었지만 아름답고 멋진 것들을 많이 보았어. 너희 할아버지께서 들려주셨던 것들보다 훨씬 멋진 여행이었어."

잠시지만 동그란엉덩이의 표정은 낭만적인 기억에 푹 빠진 듯했다.

"에헴~ 잠깐. 자네는 혹시 비밀의 동굴에 대해서 들어본 적 있는지 모르겠네."

노란여우 할아버지가 물었다. 동물들이 모두 노란여우 할아버지에게 집중했다.

"저는 뾰족귀와 비밀의 동굴을 수도 없이 다녀서 제법 잘 아는 편이에요."

동그란엉덩이였다.

"에헴~ 그럼 자네는 통로를 몇 개나 찾았나?"

"우리 숲 쪽으로 연결된 곳까지 해서 세 개 찾았어요."

"그렇군. 나도 세 개 밖에 모르는데. 안타깝구먼. 에헴~ 그 동굴의 입구가 다섯 개인 것은 알고 있지?"

"네. 뾰족귀가 살아 있었다면 나머지 두 개를 더 찾았을 거예요. 그런데 그게 왜요?"

동그란엉덩이는 의아한 듯 물었다.

"자네는 그 전설을 듣지 못했던 모양이구먼. 에헴~ 그 통로들 중 하나는 무지개마을로 가는 지름길이라는 걸 모르는가?"

노란여우 할아버지의 말에 모두들 매우 놀라는 눈치다.

"그건 알고 있었지만 제가 찾은 동굴 입구 세 개는 모두 북극성 방향이 아니었어요. 아마도 제가 아는 입구들은 모두 아닌 것 같아요. 그 입구만 알고 있다면 모두들 안전하고 빠르게 갈 수 있을 텐데. 아쉽네요."

동그란엉덩이의 아쉬움이 목소리에서 그대로 느껴졌다.

"잠깐만요! 저도 입구 세 개를 알고 있긴 한데요. 다들 세 개씩 알고 있다고 그랬죠?"

이번에는 무지큰발이었다.

"에헴~ 그렇네. 그런데 자네는 어떻게 비밀의 동굴을 알고 있는 건가? 에헴~ 노란민들레숲 동물들도 비밀의 동굴에 대해서는 그저 존재만 알고 있지 신성시하는 곳이라 에헴~ 일부러 찾아가거나 하지 않는 곳인데~"

"그건~ 음~ 제가 뾰족귀를 처음 만난 날 알게 됐어요. 제가 위험에 빠졌을 때 동굴에서 빠져나왔던 입구가 반짝반짝돌멩이마을이었어요. 그때 뾰족귀는 동굴의 입구가 전부 다섯 개라고 말해 줬어요. 뾰족귀는 세 개 밖에 찾지 못했다면서 나중에 나머지 입구를 찾아보자고 했어요. 하지만 뾰족귀는 저를 구하려다 죽게 됐고, 그 후 저는 나머지 두 개의 입구를 찾기 위해서 혼자 동굴 속을 헤매고 다녔어요. 결국 제가 살던 흰나비가춤추는숲과 연결된 입구와 반짝반짝돌멩이마을 입구 말고 독수리바위 입구를 찾았어요. 뾰족귀는 산이비치는호수가있는숲과 연결된 통로가 있다고 했지만 그곳은 찾을 수 없었어요. 혹시 독수리바위 입구가 무지개마을로 가는 입구 아닐까요?"

무지큰발은 자기가 아는 대로 설명을 하긴 했지만 딱히 자신은 없는 말투였다.

"음~ 자네~ 용감하구먼. 에헴~ 역시 숲의 용사가 되기에 충분한 담력을 가졌어. 비밀의 동굴에 들어갔다가 살아서 나오지 못한 동물이 정말 많다네. 에헴~ 내가 보기엔 자네가 다른 입구를 찾은 것은 정말 대단히 운이 좋은 거라고 할 수 있어."

노란여우 할아버지는 무지큰발을 칭찬했다.

"그렇지 않아도 동굴 안에서 길을 잃어 굶어 죽을 뻔한 적도 있어요."

"에헴~ 아쉽게도 자네가 알고 있는 독수리바위 쪽 입구는 북극성의 반대쪽 입구라네. 우린 다른 입구 하나를 찾아야 해! 에헴~"

동물들은 아쉬워했다. 안전하고 빠르게 숲을 탈출할 수 있는 방법이 있을 것으로 기대했던 것이다.

"할아버지~ 저한테 좋은 생각이 있어요!"

태니였다.

"에헴~ 태니가 좋은 꾀가 있나 보구나."

"꾀는 아니고요. 그저 좋은 생각이 아닐까 하는 거예요."

이번에는 관심이 태니에게 모아졌다.

"지금 우리는 동굴의 다섯 개 입구 중에 네 개를 알고 있잖아요. 이제 나머지 하나만 찾으면 되는 거 아닌가요?"

"그렇지!"

"함께 찾는 건 어때요? 어차피 사냥꾼이 이 쪽으로 올 것 같지도 않고요."

"그건 안돼! 에헴~ 여태까지 찾지 못했던 것을 이제야 찾을 수 있다고 어떻게 보장하지? 에헴~ 만약 입구를 찾지 못한다면 우리 노란민들레숲의 동물들은 한 곳에 모여서 우리를 죽여 달라고 부탁하는 꼴이 되는 거야. 에헴~ 난 동의할 수 없어. 에헴~ 태니의 생각은 좋지만 지금은 숲의 동물들의 목숨을 담보로 모험을 할 수는 없어."

노란여우 할아버지는 태니의 의견을 절대로 받아들일 수 없다며 강경하게 말했다.

"그렇다면 동굴 탐사대를 만들면 어떨까요? 어차피 이 속도라면 동물들이 호수까지 가는 시간도 오래 걸리니까요. 호수로 가는 길도 동굴 입구 근처를 지나가야 하잖아요. 동물들을 이끌고 동굴 근처까지 가려면 이틀 정도 걸릴 것 같아요. 동굴 탐사대가 이틀 안에 나머지 입구한 개를 찾아낸다면 동물들이 동굴로 이동할 수 있어요. 제 생각엔 우리가 호수 쪽으로 간다고 해서 무조건 안전하다는 보장도 없어요. 거기에도 사냥꾼들이 지키고 있다면 모든 계획은 깨지게 되고 다른 대안이 없잖아요."

동그란엉덩이의 새로운 제안이다.

"저도 동그란엉덩이의 생각에 동의합니다."

무지큰발이 동그란엉덩이의 의견에 맞장구쳤다.

"저도요."

"저도 동그란엉덩이 생각이 맞다고 생각합니다."

"제 생각도 비슷합니다."

다른 동물들 역시 동그란엉덩이의 의견을 따르고자 했다.

"모두들 그렇게 생각한다면 나도 동그란엉덩이의 의견을 따르도록 하지. 에헴~ 그러면 동굴 탐사대는 누가 지원할 텐가? 동굴 속에서 길을 잃으면 굶어 죽을 수도 있어. 게다가 무지개마을로 가는 지름길을 발견하지 못하면 모험의 의미도 없어. 에헴~ 그리고 이틀 안에 도착하지 않으면 이미 모든 동물들은 동굴 입구에서 점점 더 멀어져 버릴 거야. 그러면 다시 돌아오기 힘든 결정을 해야 할 거야. 에헴~ 그러니까 생각 많이 하고 결정해 주기를 바라네."

노란여우 할아버지의 말에 잠시 침묵이 흘렀다. 결코 쉽게 결정할 문제가 아니었다.

"제가 가도록 하겠습니다. 아무래도 최근에 비밀의 동굴에 갔던 건 저밖에 없을 것 같아요. 대신에 저와 함께 갈 동물들이 필요합니다. 동굴 속은 미로 같아서 갈림길이 나오면 흩어져서 찾아야 할 수도 있거든요. 발이 빠르고 용기 있고, 음~ 그리고 기억력이 좋아야 해요. 저는 머리가 좋지 않아서 힘들었어요."

무지큰발이 비밀의 동굴탐사에 앞장섰다.

"저도 갈게요."

태니였다.

"저도 가겠습니다. 저도 노란민들레숲을 위해 힘쓰고 싶습니다."

빠른발이었다. 태니를 제외한 무지큰발과 빠른발은 다른 숲에서 온 동물들인데 죽을지도 모르는 일에 자발적으로 지원했다.

"에헴~ 무지큰발과 빠른발이 나서서 움직인다면…… 정말 고맙구먼!"

노란여우 할아버지는 진심으로 고마운 표정이었다.

"아닙니다. 오히려 제가 더 큰 도움을 받았었는데 이번에는 저도 큰일을 하게 된 것 같아서 오히려 더 뿌듯한 걸요."

빠른발이 말했다.

"저도 뾰족귀에게 도움을 받지 못했다면 이미 사냥꾼에게 죽은 목숨이었을 겁니다. 저는 이 임무를 하다가 죽게 되더라도 절대 후회하지 않을 겁니다."

비밀의 동굴에서뿐만 아니라 산불 때부터 뾰족귀와 인연이 되어 목숨까지 건지게 된 무지큰발은 뾰족귀에게 은혜를 갚겠다는 결의로 가득 차 있었다.

10화 - 오로라 여행기

　비밀의 동굴 탐사대는 곧장 길을 떠났어요. 솔직히 말해서 저는 용기가 나지 않았어요. 태니가 저보다 용기 있는 녀석이란 걸 그때 비로소 알게 됐어요. 엄마는 태니를 보내는 것이 걱정되었지만 노란민들레숲의 동물들이 안전하게 피하기 위해서는 어쩔 수 없다고 판단했어요. 다행히 힘도 세고 용감무쌍한 흰줄무늬호랑이 빠른발과 산만한 덩치가 믿음직스러운 무지큰발이 함께 떠났기 때문에 마음이 놓이시는 것 같았어요. 비밀의 동굴 탐사대가 떠난 후 엄마는 남은 동물들에게 아빠와 엄마가 무지개마을을 찾아 여행을 다녀왔던 이야기를 했어요. 모두들 너무 피곤했지만 엄마의 이야기를 듣고 누구도 잠을 이룰 수 없었어요. 아빠와 엄마의 신나는 모험 이야기는 우리가 왜 무지개마을로 가야 하는지 생각해 볼 수 있는 계기가 되었어요. 그나저나 비밀의 동굴 탐사대가 무지개마을로 가는 입구를 찾아내야 할 텐데 걱정이네요.

*

    동그란엉덩이는 무지개마을로 모험을 떠났던 이야기를 시작했다. 체력이 약한 밍크 땜통은 꾸벅꾸벅 졸다가 귀를 쫑긋 세우며 이야기에 빠져들었다. 노란여우 할아버지는 대수롭지 않은 척하다가도 흥미롭다는 표정으로 이야기를 듣기 시작했다.

    "벌써부터 제 남편인 뾰족귀가 그리워지네요. 우리는 결혼 전부터 노란민들레숲을 떠나 많은 숲을 여행하기로 약속했어요. 우리 둘 다 호기심도 많았고 미지의 세계를 동경했었거든요. 그 덕분인지 우리 두 아이들 역시 모험을 좋아하고 용기 있는 은빛여우로 자라고 있는 것 같아요. 아무튼 저희는 결혼을 하고서야 마침내 꿈에도 그리던 모험을 떠나게 되었어요. 급할 게 없었던 우린 느릿느릿 이동했어요. 사랑은 온 세상을 아름답지 않은 것이 없는 곳으로 만들었죠. 여행을 시작하고 제일 먼저 가보고 싶은 곳이 있었어요. 그곳은 결혼하기 전부터 생각하던 곳이었어요. 그 어떤 곳보다 오로라가 꼭 보고 싶었거든요. 할아버지께서 그러셨어요. 우리 숲에서 보던 무지개와는 다른, 아니! 그보다 더 아름답고 표현할 수 없을 정도로 장엄한 것이 오로라라고요. 하지만 할아버지 역시 아주 멀리서 한번 보았을 뿐 근처까지 갈 수 없었대요. 할아버지의 부모님은 할아버지가 위험한 모험을 떠나는 것을 절대 허락하지 않으셨다고 들었어요. 아무튼 비록 멀리서 봤지만 오로라의 기억은 영원히 잊을 수 없었대요. 오로라가 펼쳐지면 하늘이 무지개 치마처럼 펄럭이고 우주의 모든 별들이 황홀한 춤을 춘다고 하셨어요. 뾰족귀와 저는 할아버지가 말했던 오로라를 보는 걸 우리 모험의 첫 번째 목표로 삼았었죠. 할아버지보다 훨씬 가까운 곳에서 보고 싶었던 거예요. 우리는 장거리 여행이 될 거라고 생각했고 배를 든든히 채운 후에야 길을 떠났어요. 집을 떠나면 어떤 일이 벌어질 것인지 누구도 알 수 없으니까요. 그런데 그렇게 작정하고 큰 결심을 하고 시작한 여행이었음에도 불구하고 할아버지에게 들었던 모험 이야기는 현실과 너무 판이하게 달랐어요. 오로라를 보러 가는 길이 그렇게 멀 거라고는 생각하지 못했던 거예요. 분명히 할아버지는 마을에서 멀지 않은 곳에서 오로라를 보았다고 했거든요. 그렇지만 오로라는 나타나지 않았어요. 우리에게는 아름다운 모습을 쉽게 보여주려 하지 않았어요. 그렇다고 포기할 순 없었어요. 우리는 할아버지에게 들었던 대로 북극성을 보며 계속 걸었어요. 다섯 밤을 자며 깨며 걸었던 것 같아요. 사실 우린 급한 게 없었기 때문에 여기저기 구경도 하고 맛있는 것이 보이면 배가 부르도록 먹고 소화가 될 때까지 풀밭을 뒹굴었어요. 살얼음이 보이면 얼음을 입 속에 녹여서 먹기도 했어요. 가끔은 다투기도 했죠. 지금 생각해 보니 그래서 더 오래 걸렸을 것 같기도 해요. 만약 지금 속도로 간다면 뾰족귀와 제가 여행했던 것보다 빨리 도착하지 않았을까 생각해요. 아무튼 이 속도면 노란민들레숲을 벗어나는 데는 십여 일이면 될 것 같아요. 그리고 숲을 벗어난 후에도 추가로 십여 일 정도는 더 걸어야 할지도 몰라요."

"그곳은 저희가 만난 첫 번째 모험 장소였어요. 나무라고는 하나도 없었어요. 정말 신기한 곳이었죠. 바닥엔 평평한 돌이 반짝이고 있었죠. 어떤 돌은 너무 반짝여서 돌 위에 선 제 모습이 똑같이 보였어요. 그건 꼭 호수에 물 마시러 갔을 때 호수 안에 비친 나를 보는 것 같았어요. 정말 신기했죠. 하지만 거기엔 먹을 수 있는 게 아무것도 없었어요. 오래 머물다간 굶어 죽을지도 모르겠다는 생각이 들었어요. 우리는 다시 걷기 시작했어요. 그러다 이상한 숲을 발견했어요. 그 숲의 나무들은 노란민들레숲보다 키가 훨씬 컸지만 이상하게도 동물이 한 마리도 살지 않는 것 같았어요. 아무리 찾아도 보이지 않았어요. 그래서인지 숲 속엔 먹을 게 너무 많았죠. 아직 겨울이 오려면 한참 기다려야 하는 상황이었기 때문에 숲의 동물들이 남쪽으로 떠났다고 하기엔 이상했어요. 숲에 아무도 없을 수는 없잖아요. 게다가 처음 보는 이상한 풀도 많이 있었어요. 우리는 아무도 없는 숲이 너무 예뻐서 한참을 뛰어놀았어요. 그런데 어디선가 이상한 목소리가 들려왔어요. 동물의 소리도 아니고 인간의 목소리도 아니었어요. 목소리는 신비로웠어요. 비 내린 후 적막함이 감도는 잔잔한 호수 위에 물방울이 토로롱 하고 떨어지는 것처럼 예쁜 소리였어요.

〈뾰족귀야~ 동그란엉덩이야~〉

이렇게 우리 이름을 부르는 거예요. 마치 오래전부터 아는 사이였던 것처럼 다정한 목소리였어요. 조금 무서웠어요. 사방을 돌아봤지만 아무도 찾을 수 없었어요. 한참을 두리번거리고 있는데 우리 머리 위에서 다시 소리가 들렸어요.

〈여기야! 얘들아!〉

하면서요. 제가 먼저 그들을 찾았어요. 뾰족귀 머리 위에는 생전 처음 보는 동물이 있었어요. 생긴 건 인간인데 아주 작고 등 뒤엔 날개가 달려 있었어요. 새들의 날개와는 전혀 다르게 생겼어요. 나비도 새도 아닌 동물이었어요. 정말 신기했어요.

〈너희들은 새니?〉

뾰족귀가 물었어요. 지금 생각하면 정말 바보 같은 질문이 아닐 수 없네요. 알다시피 우리는 새들과 이야기할 수 없잖아요. 그래서 새가 아니란 걸 알았어요. 그들도 뾰족귀의 바보 같은 질문에 깔깔거렸어요. 배꼽을 잡고 허리가 뒤로 휘어진 채로 말이죠. 뾰족귀는 부끄러워서 얼굴이 빨개졌어요. 그들은 요정이라는 동물이래요. 아니죠. 따지면 동물이라고 할 수는 없어요. 인간도 아니고 동물도 아닌 이상한 존재였어요. 고맙게도 요정들은 처음 만난 우리를 식사에 초대했어요. 초대받아 간 자리엔 엄청나게 많은 요정들이 모여 살고 있었어요. 하지만 우리가 먹을 수 있는 게 하나도 없었어요. 요정들은 이상한 것을 먹고사는 것 같더라고요. 아무튼 요정들과 정말 많은 대화를 나눴어요. 그런데 정말 이상한 건 그 숲을 나온 순간부터 우리가 어떤 이야기를 하고 놀았는지 전혀 기억나지 않았어요. 그저 요정을 만났다는 것 외에는 기억나는 게 전혀 없었어요. 요정들이 사는 숲을 빠져나온 우리는 다시 북극성 방향으로 길을 떠났어요. 그날따라 북극성이 더 밝게 빛나는 것 같았어요. 마치 우리에게 빨리 오라는 듯했어요. 그런데 북극성 쪽으로 향하는 길은 점점 추워지고 있었어요. 겨울이 오고 있는 데다 다른 동물들과는 반대 방향으로 가고 있었던 거죠. 가끔씩 동물들을 만났는데 그들은 우리를 이상하게 생각했어요.

이틀 정도 더 북극성 방향으로 걸어갔던 것 같아요. 우리가 『얼지 않는연못』을 발견한 날은 이틀 동안 아무것도 먹지 못한 상태였어요. 나는 배가 고프면 짜증을 내는 습관이 있었는데, 미안하게도 뾰족귀에게 투정도 많이 부렸어요. 그래도 뾰족귀는 절대로 화를 내지 않았어요. 제 투정을 다 받아주었죠. 멋진 남자였어요. 얼지않는연못 근처에서는 한 차례 눈보라도 만났는데 앞이 전혀 보이지 않았어요. 눈보라가 심했죠. 한참을 가다 보니 눈보라는 비로 바뀌었어요. 완전한 비는 아니었지만 아무튼 그곳은 따뜻했어요. 정말 신기했어요. 우리 뒤로는 눈이 오고 있는데 우리가 서 있는 곳에는 비가 오는 거예요. 비가 오는 곳에는 눈이 전혀 쌓이지 않았어요. 조금 더 걸어가니까 땅에는 촉촉한 풀도 있고 넝쿨이 무성하게 자란 나무도 보이기 시작했어요. 그곳의 나무는 다른 곳의 나무들과는 전혀 다르게 생겼어요. 나뭇잎이 뾰족하지 않고 둥글둥글했죠. 향긋하고 달콤한 과일도 잔뜩 열려 있었어요. 향기만으로도 과일의 맛을 알 수 있을 것 같았죠. 우리는 나무들이 많은 곳에 자리를 잡고 오랜만에 배가 터지도록 먹었어요. 풍요로운 땅이었어요. 어떻게 그런 멋진 곳이 존재할 수 있는 건지 너무 신기했어요. 우리

156

는 거기서 정말 오랜만에 따뜻하게 한 숨 잔 후에 다시 이동했어요. 게다가 그곳엔 정말 예쁜 연못이 있었어요. 그 연못 속에 어떤 동물이 사는지 모르겠지만 물속에서 보글보글 물방울이 계속 솟아나고 보였어요. 게다가 새벽녘 호수에서나 보던 것처럼 연못에서 수증기가 모락모락 올라오고 있었어요. 그렇지 않아도 목이 마르던 차에 저는 망설임 없이 연못에 혀를 담갔어요.

〈으아악!〉

저는 미친 듯이 소리쳤어요. 물에서 이상한 맛이 났거든요. 시큼하고 따끔거리는 게 이상했어요. 게다가 물이 엄청나게 따뜻했어요. 뾰족귀는 제가 먹으면 안 되는 것을 먹고 큰일 난 줄 알고 기겁을 했죠. 사실은 물이 먹을 수 없을 정도는 아니었지만 뾰족귀를 골려 주려고 했거든요. 하여튼 우리는 물을 먹는 건 포기하고 목욕을 하기로 했어요. 그 숲은 전혀 춥지 않았기 때문에 목욕을 해도 될 것 같았어요. 우리는 태어나서 처음으로 따뜻한 물로 목욕을 해 봤어요. 그 느낌! 아~ 정말 멋진 경험이었어요. 우리는 그곳에서 며칠을 더 지냈어요. 더 오래 머물고 싶었지만 거긴 넓은 숲이 아니었어요. 모험을 하기엔 너무 작았던 것 같아요.

우리는 그 숲의 이름을 『얼지않는연못』이라고 짓고 다시 여행을 시작했어요. 우리 목표는 아름다운 오로라를 만나는 거니까요. 또 이삼 일 정도를 걸었던 것 같아요. 눈이 많이 쌓인 탓에 속도가 너무 느렸어요. 아마 눈이 없었다면 하루에 도착할 수 있었을지도 몰라요. 나무들이 정말 크게 자란 숲을 만나게 된 건 우리에게 정말 큰 행운이었던 것 같았어요. 우리가 어떤 동물인지 한 번쯤 생각해 볼 수 있는 곳이었으니까요. 그 숲은 『그림자숲』이라고 하더라고요. 숲에는 제법 많은 동물들이 살고 있었어요. 숲 속은 그다지 춥지도 않았어요. 그래서 다들 남쪽으로 이동하지 않고 겨울을 맞이하는 것 같았어요. 외부에서 동물이 찾아온 건 거의 몇 백 년 만이라고 했어요. 우리가 갔던 그 숲은 순수한 영혼을 가진 동물이 아니면 절대로 찾을 수 없대요. 혹시 찾게 된다고 하더라도 들어갈 수 없다고 들었어요. 뾰족귀와 제가 숲 속으로 들어갈 수 있었던 건 순수한 영혼을 가졌기 때문이라고 했어요. 그곳에서의 이야기는 너무 긴데 간단하게 정리하자면요. 그림자숲의 입구는 단하나뿐이고 혹시라도 순수하지 못한 동물과 동행해서 들어갈 수는 있다고 했어요. 다만 순수하지 못한 동물은 그림자를 잃게 된다고 하더라고요. 게다가 너무 오래 머물면 그림자가 영원히 사라져 버린대요. 우리는 그림자숲을 떠나면서 오로라를 본 적이 있는지 물어봤어요. 그들은 별 대수롭지 않게 말했어요. 무지개 마을로 가라고 말이죠. 무지개 마을은 전설로만 전해져 내려오는 곳이잖아요. 그래서 그곳이 실제로 있느냐고 물었더니 멀지 않은 곳에 있다고 했어요. 마음먹기에 따라 무지개마을이 가까울 수도 있고 멀리 있을 수도 있다고 하더군요. 이해하기 어려운 소리였죠. 하지만 그들도 가본 적은 없대요. 전설처럼 전해 오는 곳이지만 실제로 존재하는 곳이라는 말만 되풀이했어요. 그런데 대체 어떻게 무지개마을로 가라는 건지 어처구니가 없었죠. 어쨌든 우리는 인사를 나누고 다시 길을 떠났어요. 그리고 우린 하루가 지나지 않아 드디어, 드디어 오로라를 발견할 수 있었어요. 그 심정은 직접 겪어보지 않으면 절대 이해할 수 없을 거예요. 아~ 지금 다시 생각해도 너무나도 아름다웠던 곳이에요. 가슴이 터질 것 같은 감동이었죠. 오로라는 며칠째 계속되었어요. 우리는 근처에서 먹고 자며 오로라를 감상했어. 근처에는 작은 숲 몇 개가 있었어요. 그중에 무지개마을이 있을 거라고 생각했죠. 하지만 무지개마을과 인연이 없었던가 봐요. 갑자기 먹구름이 빠른 속도로 몰려왔어요. 멀리서 눈보라를 일으키는 구름을 볼 수 있었어요. 먹구름이 어찌나 빠른지 해가 지기도 전에 온통 눈보라로 둘러 쌓였어요. 뾰족귀와 저는 그곳에서 얼어 죽는 게 아닌지 별의별 걱정이 다 들었어요. 이리저리 몸을 피할 곳을 찾아다녔는데 다행히도 멀지 않은 곳에 커다란 나무토막이 보였어요. 나무속은 텅 비어 있었죠. 우리는 그 안으로 들어가 숨어 있었어요. 꼬박 이틀을 나무속에 있었죠. 눈이 너무 많이 내려서 통나무 입구가 눈에 덮여 버리곤 했어요. 우린 번갈아 가면서 입구에 쌓인 눈을 치워야 했죠. 배도 고프고 추웠지만 서로 부둥켜안고 버텼어요. 뾰족귀의 몸은 너무 따뜻했어요. 저는 그렇게 정신을 잃은 채 잠이 들곤 했죠. 그런데 갑자기 푸드덕하는 소리와 함께 뭔가 무너지는 소리가 들렸어요. 잠시였지만 무서웠어요. 놀라서 갑자기 움직이는 바람에 통나무 속에서 우당탕탕, 여기저기 부딪히고 난리가 났죠. 그러다 보니 통나무 속이 전과 다르게 꽤 따듯해졌다는 것을 알게 됐어요. 나무 구멍으로 햇빛도 하얗게 들어왔어요. 눈이 그친 거예요. 눈에 반사되어 들어온 햇빛은 눈을 너무너무 따갑게 했어요. 우리 뱃속에서는 동시에 꼬르르륵 하는 소리가 들렸어요. 거의 삼 일째 아무것도 먹지 못했으니 배가 고플 만도 했죠. 하지만 온 세상이 깊은 눈에 파묻혀 있어서 먹을 수 있는 건 아무것도 보이지 않았어요. 우린 너무 배가 고파서 아무 거나 먹을 수 있을 것 같았지만 온 세상의 냄새가 모조리 사라져 버리고 없었어요. 오로라를 만나기 전에 갔었던 그림자숲이라도 찾아갈 생각을 했지만 어디가 어딘지 방향조차 알 수 없었어요. 하는 수 없이 뾰족귀는 눈 속에 얼어 죽은 짐승을 찾아다니기 시작했어요. 그러다가 한참 만에 멀리까지 뭐라도 찾겠다며 돌아다니던 뾰족귀가 먹을 것을 찾았다고 소리치는 걸 들었어요. 저는 움직일 힘조차 없어서 뾰족귀가 먹을 걸 구해오는 걸 기다려야 했어요. 뾰족귀는 위로 팔짝 뛰어올라 코를 눈 속에 처박으며 구멍을 뚫었어요. 몇 번의 실패 끝에 결국 뾰족귀는 성공했어요. 얼어붙은 들쥐 한 마리를 찾아낸 거예요. 우리는 간신히 허기만 채우고 노란민들레숲으로 향했어요. 뭐라도 먹고 나니까 방향 감각이 살아나더라고요. 그런데 어찌 된 일인지 돌아오는 길에는 여행을 떠날 때 만났던 숲을 하나도 만나지 못했어요. 방향 감각은 찾은 것 같지만 길을 잃은 게 분명했어요. 그리고 지금 제가 확신하는 건 지금 우리가 있는 이 길은 우리가 그때 돌아왔던 길이예요. 그 길 역시 중간에 눈보라를 만나서 몇 번을 헤매다가 찾아온 거라 경로가 정확하지 않다는 문제가 있긴 해요."

동그란엉덩이는 뾰족귀와 함께 했던 오로라 모험에 대해 긴 설명을 했다. 동물들은 동그란엉덩이와 함께 이야기 속에 빠져 있었다.

"정말 멋져요!"

모든 동물들이 이구동성으로 말했다.

"우리 동굴 탐사대가 입구를 잘 찾아내면 좋을 텐데~"

동그란엉덩이는 달을 올려다보며 말했다. 달빛이 높이 솟아 있는 나뭇잎 사이로 슬그머니 빛을 비추고 있었다.

*

어때요? 우리 엄마와 돌아가신 아빠의 멋진 신혼여행 이야기였어요. 우리는 태니와 무지큰발 아저씨, 빠른발 형이 비밀의 동굴에서 무사히 입구를 찾아내서 돌아오기를 빌었어요. 지금쯤이면 동굴 입구에 도착했을 것 같네요.

11화 – 진실 게임 1

이제야 숲의 지도자들이 우리 엄마 동그란엉덩이의 말을 믿게 되었어요. 아빠와 엄마의 멋진 모험 이야기에 매료되어버린 거죠. 무지개마을이 아니더라도 그림자숲이나 얼지않는연못에 새로 정착을 해도 좋을 것 같았어요. 요정들이 산다는 숲에는 어차피 다른 동물들이 살지 않으니 그곳에서 살게 되어도 좋을 것 같았죠. 엄마의 표현에 따르면 정말 멋진 곳들인 것 같았어요. 비록 엄마 역시 무지개마을에 가보지는 못했지만 그림자숲의 동물들이 무지개마을이 근처에 있다고 했으니 말이죠. 어쨌든 우리가 그림자숲을 찾게 되기면 무지개마을을 찾는 게 어려울 것 같진 않아요.

새벽이 찾아오자 노란여우 할아버지는 넓은 공터를 찾아 동물들을 불러 모았어요. 그리곤 엄마가 해 준 이야기를 간단하게 정리해서 설명을 해 주셨어요. 노란여우 할아버지는 정말 공정하신 분이에요. 한 마리의 동물이라도

163

반대의견이 있으면 일단은 끝까지 이야기를 들어주셨어요. 그리고 이해하기 쉽게 설명을 해 주셨지요. 하지만 모든 동물들이 같은 생각을 하지는 않았어요. 우리는 어릴 때부터 큰 것을 위해 작은 것을 포기할 수도 있다고 배웠어요. 하지만 엄마는 꼭 그게 정답이 아닐 수도 있다고 했어요. 모두가 같은 의견을 따랐는데 그게 잘못된 일이라고 해서 누군가에게 책임을 지우거나 할 수는 없잖아요. 엄마는 나와 생각이 다르다고 해서 틀리거나 이상한 게 아니라고 하셨어요. 소수의 의견이라고 해서 무시하거나 모른 척 하기보다는 소수의 의견도 존중해야 한다고 하셨어요. 그들이 왜 그런 생각을 하게 됐는지 적어도 한 번쯤은 귀 기울여야 한다고 하셨어요. 진심으로 들어주어야 한다고요. 비밀의 동굴 탐사대가 되어 떠난 태니와 무지큰발, 빠른발의 경우처럼 말이에요. 태니 일행이 정말 비밀의 동굴에서 무지개마을로 가는 지름길을 찾아낼 수 없을지도 몰라요. 어쩌면 그럴 가능성이 더 높을지도 몰라요. 하지만 노란민들레숲 동물들의 목숨이 달린 일에 방법을 찾으려고 노력하는 자세야 말로 모두에게 필요하다고 생각해요. 돌아가신 할아버지께서 해 주신 말이 기억나요. 세상은 다수가 무시해왔던 것을 소수가 바꿔 놓은 거라고요. 그 뜻을 이제는 알아요. 모두가 아니라고 할 때, 굽히지 않고 증거와 결과로 보여주는 건 절대 고집이 아니란 것을 말이에요. 그리고 세상에는 노력 없이 할 수 있는 건 아무것도 없다는 걸 알게 됐어요. 할아버지는 목숨을 걸고라도 노력하는데 세상에 이루어지지 않는 일은 없다고 하셨어요.

*

"자~ 이제 잘 알겠지요? 일단 무지개마을로 갈 겁니다. 에헴~ 그리고 나는 앞으로 어떤 연설도 하지 않을 것입니다. 모든 일은 새로운 지도자가 된 동그란엉덩이가 이끌어 갈 테니 믿고 따라 주길 바랍니다. 에헴~ 모든 동물들을 위해 동물의 신께서 함께 해 주실 겁니다."

노란여우 할아버지는 연설을 마치고 바위 위에서 내려왔다. 여정이 시작된 지 얼마 되지 않았지만 할아버지는 벌써 많이 지친 모습이다. 동물들은 잠시 혼란에 빠진 듯 시끌벅적했다.

"무지개마을이 정말 있기는 한 거야?"

"거기에 가본 동물이 없지 않아?"

"동그란엉덩이가 가봤다면서~"

"아냐! 근처까지만 가봤대!"

"뭐? 그럼 확실하지도 않은 곳에 우리를 데리고 가겠다는 거야?"

"이제 곧 겨울이야. 왜 다른 동물들과 반대방향으로 이동해야 하는 거지?"

"위험해! 나는 차라리 여기에 남겠어."

"아냐! 나는 반대쪽으로 가겠어."

동물들은 혼란스러웠다. 노란여우 할아버지의 의도와는 달리 동물들은 의견이 나뉘기 시작했다. 그때였다.

"내가 그럴 줄 알았지!"

큰 소리를 치며 나타난 동물이 있다. 노란민들레숲 지도자 투표에서 떨어진 늑대, 까칠한흰수염이었다. 멀리 사라져 버린 줄 알았던 늑대들이 무리를 지어 다시 나타난 것이다. 그런데 늑대들의 몰골이 말이 아니었다. 여기저기 피투성이에다가 어떤 녀석은 불에 그을려 털이 다 못쓰게 된 상태였다. 아무리 봐도 겨울을 나긴 어려운 지경으로 보였다. 까칠한흰수염 역시 한쪽 눈에 상처를 입었는지 눈두덩이가 탱탱 부어 있었다.

"대체 또 무슨 일을 꾸미려고 나타났지?"

이번에는 동그란엉덩이가 나섰다.

"흐흐~ 우리는 사냥꾼들과 싸워 보기라도 했지만 너희들은 그저 도망치는 것 밖에는 할 줄 아는 것이 없잖아. 그렇게 도망만 갈 것 없어. 사냥꾼들은 우리처럼 힘이 센 동물들을 무서워해. 너희들이 내 밑으로 들어온다면 노란민들레숲을 인간들에게서 지킬 수 있게 해 주겠어. 이 추운 계절에 어딜 간다는 거야? 너희들은 사냥꾼을 피해 도망가다가 모두 얼어 죽거나 굶어 죽을 거야!"

까칠한흰수염은 있는 힘껏 목청을 높여 소리쳤다.

"맹세코 우리를 속이려 하지 마! 우리들은 절대 사냥꾼들을 이길 수 없어!"

동그란엉덩이가 소리쳤다.

"무슨 소리! 우리는 벌써 사냥꾼들을 네 명이나 잡아먹었지. 얼마든지 우리가 싸워 이길 수 있어!"

까칠한흰수염은 동그란엉덩이를 비웃으며 말했다. 그리고 한마디

더했다.

"우리 노란민들레숲 동물들은 겁쟁이만 있었나?"

"우린 겁쟁이가 아니야. 그리고 너희들처럼 사납고 싸움을 잘하는 동물도 많지 않아. 다른 동물들은 사냥꾼과 싸워서 이길 수 없어."

동그란엉덩이가 소리치자 늑대들은 야유하는 듯 우~우~ 하는 소리를 냈다. 까칠한흰수염은 어깨에 힘을 주며 말했다.

"싸울 수 없는 동물들은 필요 없어. 그깟 도움도 되지 않는 녀석들까지 목숨을 걸면서 도와주고 싶지 않아. 그러지 말고 여우들도 우리에게 힘을 합치는 게 좋을 걸~ 너희들이 있지도 않은 무지개마을을 과연 찾을 수나 있을까? 그러다 만약 찾지 못한다면 어쩔 거야? 네가 말하는 그 책임은 누가 질 거지?"

까칠한흰수염은 늑대 무리를 뒤돌아 보았다. 늑대들은 이번에 늑대 특유의 소리를 내었다. 고개를 하늘로 치켜들고 아우~ 하며 온 숲을 울렸다. 숲 속 분위기가 괴이하게 느껴졌다. 그러자 동물들의 행동들이 어수선해졌다. 누가 시킨 것도 아닌데 편이 갈라지고 있었다. 이미 갈색곰 몇 마리가 늑대 쪽으로 자리를 옮겼다. 몇몇 동물들은 눈치를 보다 하나 둘 늑대들의 무리로 자리를 옮겨갔다. 얼마 지나지 않아 힘이 센 동물들 대부분이 늑대들의 편에 섰다. 이윽고 늑대들의 편에 훨씬 많은 동물들이 서 있었다. 절반을 훨씬 넘은 것이다. 그러자 결정을 하지 못해 갈팡질팡하던 동물들 마저도 자리를 옮겼다. 그러자 늑대들의 편이 더 많아졌다. 동그란엉덩이의 편에 남은 동물들은 대부분 힘없고 작은 동물들이었다. 어차피 그들은 평생을 늑대들에게 괴롭힘을 당해 왔던 동물들이다. 그들의 편에 선다고 하더라도 늑대들은 계속 괴롭히거나 잡아먹을 게 뻔했다.

"자! 봤지? 이제 다들 우리와 함께 사냥꾼에 맞서 싸울 거야. 넌 어떻게 할 거야? 그래도 그 무지개마을인지 하는 곳으로 갈 건가?"

까칠한흰수염은 뒤에 선 동물들의 힘을 얻은 듯 의기양양해져서 말했다. 동그란엉덩이는 어찌해야 할지 고민됐다. 동그란엉덩이는 동물들이 아무리 노력한다 해도 사냥꾼을 이길 수 없을 거라고 생각했다. 잠시 고민을 하던 동그란엉덩이는 뜻을 굽히지 않겠다는 결론을 내렸다. 힘없는 동물들을 살려야만 했다.

"알았어. 우리는 계속 무지개마을로 가겠어. 나중에 다시 우리를 찾아오게 되더라도 막지는 않겠어. 다만 까칠한흰수염 너에게 부탁할게. 부디 우리 숲의 동물들이 다치지 않게 잘 지도해 주길 바라. 꼭 부탁할게."

까칠한흰수염은 비릿한 미소를 지어 보였다. 그렇지 않아도 한쪽 눈이 탱탱 부어 있는 험악한 모습에 야비해 보였다. 까칠한흰수염은 동그란엉덩이 편에 선 약한 동물들을 비웃었다.

12화 - 비밀의 동굴 탐사대

　태니와 무지큰발, 빠른발은 비밀의 동굴로 떠난 후 어떻게 되었을까요? 우리 엄마 동그란엉덩이는 간절히 기도했어요. 그들이 무사히 임무를 완수하고 돌아오기를 말이죠. 탐사대는 동굴의 입구 다섯 개 중에서 네 개를 알고 있었으니까 이제 나머지 하나만 더 찾으면 되는 거였어요. 하지만 비밀의 동굴은 생각보다 복잡한 곳이었어요. 할아버지에게 들었던 비밀의 동굴에 대한 전설은 제법 무서운 이야기였어요. 태니는 무서운 전설 때문에 걱정이 이만저만 아니었지만 용감하고 힘도 센 무지큰발과 빠른발이 함께 있어서 든든했어요. 비밀의 동굴에 얽힌 전설이 궁금하다고요? 비밀의 동굴에는 무시무시한 동물이 산다고 했어요. 하지만 전설은 전설일 뿐인지 누구도 그 무시무시한 동물을 본 적이 없었죠. 하물며 아빠 뾰족귀 역시 동굴의 모든 입구를 찾기 위해 숱하게 동굴 속을 뒤지고 다녔지만 무시무시한 동물을 만나지 못했어요. 할아버지의 친구는 비밀의 동굴에서 길을 잃어 밖으로 나오지 못했다고 했어요. 그 전에도 많은 동물들이 동굴 속에서 죽거나 실종되었어요. 태니 일행은 정말 입구를 찾아낼 수 있을까요? 살아서 나올 순 있을까요?

*

"그런데 말이야. 하필 다섯 개나 되는 동굴 입구가 왜 우리 숲에는 없는 걸까? 꼭 이 먼 곳까지 와야 하잖아."

무지큰발이 투덜거리며 말했다. 태니 일행은 사냥꾼의 눈을 피해 몰래 가장 가까운 동굴 입구가 있는 반짝반짝돌멩이마을까지 이동했다. 다행히 입구까지 오는 길엔 사냥꾼을 만나지 않았다. 사냥꾼들은 다른 곳으로 떠나고 없는 듯했다. 반짝반짝돌멩이마을에 있는 동굴 입구는 태니와 무지큰발에겐 깊은 의미가 있는 곳이다. 뾰족귀가 그곳에서 죽었기 때문이다. 무지큰발은 뾰족귀와 함께 사냥꾼에 맞서던 이야기를 빠른발에게 설명했다. 물론 무지큰발이 기절했다가 다시 정신을 차릴 때까지의 비어 있는 기억은 설명할 순 없었다. 지금도 사냥꾼이 자기를 살려주고 상처를 치료해 준 사실에 대해서 도저히 이해할 수 없었다. 그는 분명히 무시무시한 사냥꾼이었기 때문이다.

"그런데. 무지큰발 아저씨. 그 사냥꾼은 왜 아저씨를 살려준 거죠? 우리 아빠는 죽게 했는데요."

태니가 물었다.

172

"글쎄. 지금도 이해가 되지 않아. 내 어깨에 꽂혀 있던 나무토막도 뽑아 주고 약초도 발라 줬거든. 사냥꾼의 약초는 정말 효과가 좋았어. 신기하게도 내 상처가 금세 아물었거든."

"아저씨처럼 인간, 아니 사냥꾼에게 도움을 받은 동물이 있다니 믿기지 않는 걸요."

사냥꾼에게 부모님을 모두 잃은 빠른발은 이해할 수 없었다.

"저도~ 아니 우리 가족도 사냥꾼에게 도움을 받은 적이 있어요. 그 사냥꾼은 무지큰발 아저씨처럼 힘이 센 인간이었어요. 우리 아빠를 잘 안다고 했거든요. 제 목에 걸린 이 줄도 한스라는 사냥꾼이 아빠에게 걸어준 거랬어요. 사냥꾼이라고 해서 모두 잔인하고 악독한 건 아닌가 봐요."

태니가 말했다.

"태니네 가족들도 사냥꾼에게서 도움을 받은 적이 있었구나. 그 말을 듣고 보니 사냥꾼이라고 해서 모두 나쁜 건 아닌가 봐."

"우리 동물 중에도 착한 동물, 못된 동물이 있는데 인간들이라고 다를 리 없지 않겠어?"

무지큰발과 태니의 이야기를 듣던 빠른발이 정리했다.

동굴 속은 어둡고 습했다. 게다가 쌀쌀하다 못해 으스스한 느낌이 들었다. 어둠이 적응되기까지는 오래 걸리지 않았지만 한 줄기 빛조차 없는 동굴 속은 어둠을 꿰뚫는 용사들의 시력으로도 어쩔 수 없었다.

동굴 탐사대는 동굴 입구에 들어선 후 얼마 지나지 않아 첫 번째 갈림길에 섰다. 길은 네 개로 나눠졌다.

"여기서 갈림길이 나올 때마다 왼쪽 길로 가면 흰나비가춤추는숲으로 갈 수 있어요. 그 길은 모두 알고 있죠? 우리가 북극성 방향으로 가야만 한다면 왼쪽 길로 가야 하지 않을까요? 흰나비가춤추는숲은 반짝반짝돌멩이마을보다 아래쪽에 있잖아요. 무지개마을은 그 반대편일 거니까요."

태니가 말했다.

"그럼, 우리는 왼쪽으로 가면 되겠다. 그렇지?"

무지큰발은 태니의 제안에 동의했다.

"하지만 우리가 왼쪽으로 갔다가 나오는 길을 찾지 못하면 문제가 되니까 다시 돌아 나오게 될 것을 생각해서 흔적을 남겨야 할 것 같아. 예전에 혼자 들어와서 죽을 뻔했던 걸 생각하면 지금도 아찔해~ 들어가기 전에 미리 약속을 정해보자고."

무지큰발은 지난 기억에 머리를 흔들었다. 동굴 안에서 길을 잃는 날에는 모두 죽게 될 것이 뻔하기 때문이다.

"제게 좋은 생각이 있어요!"

태니가 소리쳤다.

"우리는 자기 오줌 냄새를 맡을 수 있잖아요. 지나가면서 왼쪽으로 가게 되면 제가 오줌을 누면 되고요. 오른쪽으로 가게 되면 빠른발 형이 오줌을 누기로 해요. 그리고 만약 지나갔던 길 중에 막다른 길이었다면 흙을 파서 쌓아 두기로 해요. 그리고 길이 확실하다 싶으면 무지큰발 아저씨가 오줌을 누기로 해요. 어때요?"

무지큰발과 빠른발은 잠시 생각을 하는가 싶더니 동시에 소리쳤다.

"태니 생각이 맞는 것 같아. 정말 좋은 생각이야. 그렇게 하면 우리가 길을 잃을 가능성이 줄어들 것 같아."

"그럼 지금 당장 시작해 보자고요."

동굴 탐사대는 반나절이 지나도록 동굴 속을 헤매고 다녔다. 동굴은 그들의 기억보다 깊고 넓었다. 게다가 갈림길이 나올 때마다 왼쪽으로 돌아갔던 곳은 황당하게도 막다른 곳이었다. 막다른 동굴을 돌아 나오니 다시 갈림길이 나왔다. 막다른 동굴 안쪽에는 무지큰발이 뒷발로 땅을 지지한 채 앞발로 흙을 뒤쪽으로 걷어찼다. 무지큰발의 앞발에 걷어 차이는 돌과 흙이 순식간에 쌓이기 시작했다. 누가 봐도 눈에 띌 정도의 높이가 될 정도로 흙이 쌓이자 다른 갈림길로 들어섰고 빠른발은 오줌을 누었다. 한참을 가자 다시 갈림길이 나왔다. 이번에도 역시 왼쪽 길로 접어들었다. 그 안쪽에는 또 한 번의 갈림길이 있었지만 두 길 다 막다른 길이었다. 머리가 어지럽기 시작했다. 태니 일행은 막다른 길을 재차 확인한 뒤 다시 돌아 나왔다. 그러자 지났던 갈림길을 또 만나고 말았다. 동굴탐사대는 벌써부터 머리가 아파오기 시작했다.

"이상한데? 너무 왼쪽으로만 가는 거 아니야? 그러면 결국 해가 지는 방향으로 가는 거나 마찬가지 아냐?"

빠른발이 문제를 제기했다.

"그런 것 같기도 해요. 그럼 형 말대로 이번에는 오른쪽 길로 가볼까요?"

태니가 말했다. 동굴 탐사대는 빠른발의 의견을 따르기로 했다. 얼마나 지났을까? 동굴 탐사대는 지나왔던 곳에 다시 돌아와 있었다. 분명히 다른 길이라고 생각했는데 이미 지나온 길이라는 게 허탈했다. 오른쪽 길에서는 분명 태니의 오줌 냄새가 났다. 결국 갈림길에서 왼쪽 길로 들어섰다 왼쪽 길로 돌아온 셈이었다.

"그럼 조금 더 가면 처음 만난 네거리가 나오겠네요. 그리고 방금 지나온 갈림길로 돌아간다면~ 이제는 오른쪽으로 돌아가면 될 것 같아요. 어떻게 하시겠어요? 돌아가서 오른쪽 길로 갈까요? 아니면 네거리에서 두 번째 길로 가실래요?"

태니가 두 가지 방법을 제안했다. 이번에도 잠시 고민을 하는가 싶더니 빠른발이 대답했다.

"태니야. 우리 네거리에서 다시 시작해 보는 게 어떨까? 너무 왼쪽으로만 갔던 게 아닐까 하는 생각이 들어. 무지큰발 아저씨는 어떻게 생각해요?"

빠른발은 의견을 물었다.

"그래! 나도 네 생각에 찬성해. 그런데 배가 좀 고프다. 목도 마르고~ 이러다 우리 굶어 죽는 건 아니겠지?"

무지큰발은 큰 덩치만큼 먹성이 대단한데 지난밤부터 거의 먹은 게 없어서인지 벌써부터 배가 고픈 모양이었다. 게다가 목이 마른 건 태니나 빠른발도 같은 상황이었다. 하지만 아직은 버틸 만은 했다. 그렇다고 동굴 밖으로 나가서 목을 축이고 돌아올 시간적인 여유는 없었다.

"미안하다. 얘들아. 너희들도 역시 배도 고프고 목도 마를 텐데. 어른인 내가 참지도 못하고 말이야. 나는 아직 더 참을 수 있어. 신경 쓰지 말고 가자~"

무지큰발은 마음을 고쳐 먹었다. 동굴 탐사대는 다시 네거리까지 돌아왔다. 이번에는 왼쪽에서 두 번째 길로 들어섰다. 약간은 구불거리는 동굴 통로를 지나자 갈림길이 나타났다. 역시 태니가 오줌을 누고 왼쪽 길로 들어섰다. 그렇지만 동굴은 무너져내려 앞이 막혀 있었다. 빈틈 같은 건 전혀 보이지 않았다. 다시 돌아 나오는 수밖에 없었다. 동굴 탐사대는 또 한 번 흙더미를 만들었다. 다시 오른쪽 길로 들어서 빠른발의 오줌을 누고서 동굴 속으로 접어들었다. 한참을 걷는데 누구의 뱃속이라고 할 것 없이 동시에 꼬르륵 소리가 났다. 동굴 속에서는 꼬르륵 소리가 맑게 울려 퍼졌다. 태니는 그 소리가 너무 웃겨서 배를 뒤집고 웃었다. 빠른발과 무지큰발 역시 태니의 모습을 보고서 배를 뒤집고 웃었다. 긴장했던 마음이 조금은 편해지는 듯했다. 다들 혹시라도 길을 잃어 굶어 죽게 되거나 무지개마을 입구를 찾지 못하게 될까 걱정했던 것이다. 서로에게 부담을 주지 않기 위해 티를 내지 않고 있었을 뿐이다. 모두 한참을 웃다가 잠시 분위기를 정리했다. 그런데 빠른발의 눈에 이상한 것이 눈에 띄었다.

"저게 뭐지?"

빠른발의 말에 태니와 무지큰발이 귀를 세우고 킁킁거리기 시작했다. 여태 시력에만 집중하고 있어서 이상한 냄새가 나는 것을 알아채지 못한 것이었다.

"아저씨! 저게 뭐죠?"

태니가 물었다. 무지큰발은 빠른발이 찾아낸 것에 가까이 가서 킁킁거리기 시작했다.

"인간 냄새 같은데?"

"인간이요? 사냥꾼인가요? 움직이지 않는데요?"

"죽었어. 오래전에~ 아마 동굴에 들어왔던 사냥꾼이 길을 잃고 죽은 게 아닐까?"

무지큰발이 커다란 앞발로 죽은 사냥꾼을 건드리자 후드득 소리를 내며 바닥에 무너져 버렸다. 뼈만 남아 있었다. 태니는 조금 으스스했다.

"아저씨. 그냥 가요~ 무서워요."

태니가 무지큰발을 살짝 물로 뒤로 끌었다.

"ㄱㄱㄱ~ 그래."

무지큰발도 역시 조금 겁이 나긴 마찬가지여서 말을 더듬었다. 동굴 탐사대는 누가 먼저랄 것도 없이 계속 걷기 시작했다. 동굴의 울퉁불퉁한 길을 뛰다시피 가자 앞쪽에 흐린 빛이 보였다.

"어~ 통로가 보인다."

빠른발이 먼저 말했다. 드디어 무지개마을로 가는 통로를 찾은 것이었다.

"얏! 호!"

태니가 소리쳤다. 동굴 탐사대는 빠르게 뛰었다. 드디어 목표를 이룬 것이다. 서로는 서로를 앞서거니 뒤서거니 하며 뛰었다. 그러나 빛이 가까워지면 가까워질수록 동굴 탐사대의 희망은 급속하게 떨어져 갔다. 뛰는 속도는 점점 줄어들어 거의 걷다시피 했다. 그들 앞에 벌어진 것은 동굴 입구가 아니었다. 빛이 나는 신비한 광장이었다. 그리고 광장 한가운데에는 맑디맑은 물이 흐르고 있었다.

"와아~ 물이다!"

동굴 탐사대는 다시 뛰기 시작했다. 허기짐과 갈증 중 한 가지는 해결이 되는 것이다.

"와~ 정말 달아요! 어쩜 물이 이렇게 맛있을 수가 있는 거죠?"

태니는 허겁지겁 물을 마시더니 소리쳤다. 거의 물로 배를 채우듯 코를 처박고 물을 마신 탐사대는 살 것 같은 느낌이 들고서야 동굴을 살피기 시작했다.

"정말 넓다. 그리고…… 여긴 왜 이렇게 밝은 거지?"

빠른발이 신기한 듯이 말했다. 주변에는 나무와 넝쿨식물들이 가득했다. 동굴 속인데 동굴 밖으로 나온 거나 다름없었다. 자세히 보니 하늘이 뻥 뚫린 것만 같았다. 사방은 절벽으로 되어 있어서 마치 하나의 거대한 구덩이 같다는 느낌이 들었다.

"여기가 어딘 지 알 것 같아요!"

태니가 말했다.

"여긴 우리 노란민들레숲이예요."

태니의 말에 모두들 의아해했다.

"그걸 어떻게 알지? 보이는 거라고는 위로 뻥 뚫린 하늘밖에 없는데 말이야~"

빠른발이 하늘을 보며 말했다. 벌써 해가 지려는지 어둑어둑했다. 하루 종일 동굴 속에서 헤매고 있었는데 결국 도착한 곳이 노란민들레숲이라는 말에 허무하기만 했다. 모두 충격에 휩싸였다.

"태니!"

빠른발이 물었다.

"네! 형!"

"그럼 여기는 비밀의 동굴에 있는 마지막 입구 아닐까? 입구가 5개라고 했는데 이제 우린 5개를 모두 찾은 거나 마찬가지인 거잖아! 그리고 여긴 노란민들레숲의 어디인 거지?"

"듣고 보니 그렇기는 한데요. 잠깐만요. 하지만 여기는 숲에서 내려올 수 있는 방법이 없어요. 그냥 바닥에 구멍이 뻥 뚫려 있어서 아무도 이 아래까지 내려와 본 동물이 없어요. 아프리카에 산다는 원숭이들이라면 넝쿨을 타고 내려올 수야 있겠지만. 제 생각에는 다섯 번째 입구는 아닌 것 같아요."

태니가 말했다. 그런데 무지큰발은 아무 말도 없었다. 이상했다.

"아이고야~"

태니가 한숨을 쉬었다. 태니와 빠른발은 키득키득거리며 웃었다. 겨드랑이에 머리를 박은 무지큰발은 그새 잠이 들어버린 것이었다.

"태니! 우리도 잠시 눈을 좀 붙여야 할 것 같지 않아?"

빠른발이 말했다. 태니 역시 극도로 피곤했다. 태니와 빠른발은 너나 할 것 없이 무지큰발의 품에 파고들었다. 빠른발은 무지큰발의 큼지막한 앞발에 머리를 괴고 엎드렸고 태니는 무지큰발의 배 아래를 파고들었다. 무지큰발은 무의식적으로 뒷다리를 오므려 태니를 따스하게 안아주었다. 태니는 잠이 들 무렵 이곳의 이름이 기억났다. 할아버지는 이곳을 『돌아오지않는메아리』라며 근처에도 가지 못하게 했었다.

태니는 거대한 몸뚱이에 눌려 숨이 컥 막혔다. 깊게 잠든 무지큰발이 몸을 뒤척이다 태니를 깔아버린 것이다.

"에휴~ 깔려 죽을 뻔했네~"

태니는 잠이 확 달아나 버렸다. 피곤하긴 했지만 비밀의 동굴의 출구를 찾을 여유가 겨우 하루밖에 남지 않았다는 걱정 때문이었다. 태니는 빠른발의 등에 기대었다. 절벽 위로 뚫린 하늘 사이로 보이는 초승달이 유난히 밝게 보였다. 하루 종일 암흑 같은 동굴 속을 헤매고 다녔던 터라 적은 빛이었지만 유난히 다르게 보인 것이다. 태니는 생각에 잠겼다. 엄마는 잘하고 계실지, 손이 형도 힘들 텐데 혹시 사냥꾼들이 갑자기 쳐들어오거나 산불을 내지는 않았겠지? 별다른 문제는 없겠지? 하는 생각들이었다.

'아! 지금 위치는……'

태니는 지금 이곳이 노란민들레숲에서도 북극성 쪽에 가까운 위치라는 걸 기억해 냈다. 그렇다면 어찌 됐건 동굴의 북극성 쪽으로 움직인 것은 확실했다. 동굴 속에서는 방향도 위치도 알 수 없어 그저 막막하기만 했는데 차라리 잘 된 일이라는 생각이 들었다. 문제는 돌아오지 않는메아리 안에서는 북극성이 보이지 않는다는 것이다. 어느 방향으로 가는 게 맞는 것인지 알 수가 없었다. 태니는 벌떡 일어났다. 무지큰발과 빠른발이 자는 동안 돌아오지않는메아리를 조사해 보기로 맘먹었다. 제법 넓긴 하지만 무엇이라도 하는 게 시간적으로 도움이 될 것이란 생각에서였다. 게다가 그들이 잠에서 깨었을 때 태니가 보이지 않는다면 소리를 쳐서 부를 수 있는 거리이기도 했다. 모두 둘러보려면 한참 돌아야 할 것 같았다. 태니는 최대한 빠른 걸음으로 돌아오지않는메아리 절벽을 따라 돌기 시작했다. 절벽 주변에는 알 수 없는 동물의 뼈가 군데군데 보였다. 절벽에서 떨어졌거나 동굴 안에서 길을 잃어 죽었을 것이다. 얼마나 돌아왔는지는 모른다. 태니는 동굴 안으로 들어갈 수 있는 입구를 두 개 더 발견했다. 세 번째 입구를 발견한 태니는 뛰기 시작했다. 입구의 수가 많다는 건 조사해야 될 동굴이 예상보다 더 많다는 뜻이기 때문이었다. 전설로 들었던 것보다 더 많은 입구가 있을 거란 생각에 태니의 마음이 점점 조급해졌다.

"태니! 태니야!"

멀리서 빠른발의 목소리가 들려왔다. 태니가 예상했던 대로 그들은 태니가 보이지 않자 소리를 질러 태니의 위치를 확인하고 있었다.

"저는 동굴 입구를 찾고 있어요. 돌아 갈게요."

태니는 다시 뒤로 돌아갈까 하다가 그대로 마저 조사하는 게 낫겠다 싶은 생각이 들었다. 태니 걱정이 앞선 무지큰발과 빠른발은 그 자리에서 머물고 있을 수만은 없었다.

"태니야!"

빠른발의 목소리가 아까보다 더 가깝게 들려왔다. 태니는 그 새 동굴 입구를 하나 더 찾아냈다. 벽을 등지고 왼쪽 벽을 따라 돌아온 것이고 빠른발의 목소리가 들려오는 방향으로 보아 절반 이상은 돌아온 것을 알 수 있었다. 태니는 목소리가 들려오는 방향으로 뛰었다. 돌아오지않는메아리는 타원형인 것 같았다. 서로 목소리만 듣고 대각선 방향으로 뛰었지만 예상보다 빨리 만날 수 있었다. 동굴 탐사대는 숨을 고르고 나서야 머리 위에서 햇볕이 들어오는 것을 알 수 있었다. 따스했다. 셋은 하늘은 보며 빙글빙글 돌았다. 오랜만의 햇볕이라 그런지 따스하고 포근했다. 모두들 햇볕의 소중함을 다시 느끼고 있었다.

"제가 동굴 입구를 세 개 더 찾았어요. 저쪽이에요……"

테니는 자랑스럽게 말했다. 그러나 태니는 저쪽이라고 말한 곳의 방향이 어딘지 가늠하기 힘들었다. 자신이 어느 방향에서 뛰어온 것인지 알 수가 없었던 것이다.

"무지큰발 아저씨! 혹시 어느 방향에서 왔는지 아시겠어요?"

태니의 질문에 무지큰발과 빠른발 역시 곤혹스러웠다. 햇볕이 좋아 빙글빙글 돌면서 모두 방향감각을 잃은 것이다.

"큰일이네요! 여태 찾아다닌 게 물거품이 되는 거 아닌가 모르겠어요."

태니는 기껏 새벽부터 조사를 나선 것을 후회했다. 그래도 입구를 세 개나 찾아 두어서 다행이다. 동굴 탐사대가 반짝반짝돌멩이마을 쪽에서 노란민들레숲으로 왔으니 해가 뜨는 방향으로 나온 것이므로 이미 찾은 네 개 중에서 무지개마을 쪽으로 가는 입구가 있을 가능성이 높다고 판단했다. 어느 쪽으로 가든 돌아오지않는메아리로 나온 동굴을 찾으면 되는 것이다. 무지큰발과 빠른발 역시 태니의 설명에 같은 생각을 했다. 탐사대는 절벽 한쪽을 찾아 달렸다. 한 쪽 방향으로 가다 보면 그 입구가 나올 것이라는 생각이었다. 절벽이 보일 즘 되자 어젯밤 잤던 동굴 입구가 눈에 들어왔다.

"저기예요!"

이번에도 역시 가장 시력이 좋은 빠른발이 먼저 발견했다.

"여기 맞는 것 같네요. 그렇죠?"

빠른발이 말한 대로 어젯밤 잠을 잔 곳이 분명했다. 탐사대는 빠른발을 선두로 다른 동굴 입구로 들어섰다. 모두들 지난밤에 조금이라도 잠을 자 둔 덕에 체력이 살아나 속도가 꽤 빨라져 있었다. 한 시간도 채 되지 않아 앞쪽에 다시 환한 빛이 보이기 시작했다. 거기서부터는 동굴 속이 전혀 구불거리지 않았다. 모두 힘이 솟아났다. 드디어 비밀의 동굴에서 무지개마을로 가는 길을 발견한 것이다. 동굴 입구 근처에 도착하자 아플 정도로 눈이 부셨다. 돌아오지않는메아리를 들어설 때는 해가 지던 시간이었지만 지금은 해가 뜨는 시간인 것이다. 동굴 탐사대는 마냥 행복했다. 그들이 목숨을 걸고 나선 첫 번째 임무가 성공을 눈앞에 두고 있는 것이다. 실눈을 뜨고 동굴 밖으로 나서자 다시 따스한 햇살이 온몸을 휘감아 주었다. 탐사대는 마냥 포근했다. 그런데 동굴 입구는 절벽 틈에 간신히 열린 모양이라 너무 좁았다. 덩치가 큰 무지큰발은 옆으로 걸어서야 간신히 빠져나올 수 있었을 정도였다. 몸집이 작은 태니만이 아주 쉽게 틈새를 빠져나올 수 있었다. 빠른 속도로 바위틈을 비집고 나온 태니는 입을 쩍 벌리며 자리에 주저앉았다. 낯익은 숲이었다.

"아! 여기는!"

기대했던 상황이 아니라 믿고 싶지 않았지만 그곳은 태니가 잘 아는 곳이었다. 태니는 바위틈 사이를 기어 나오는 무지큰발과 빠른발을 쳐다보았다. 둘 다 아직 바위틈에서 나오지 못하고 있었다. 태니는 바위 틈새에서 허우적거리는 그들에게 비관적인 소식을 전하기가 미안했다. 그곳은 여전히 노란민들레숲이었던 것이다. 순간 아빠가 했던 말이 생각났다.

'기대가 크면 실망도 크다!'

정말 그랬다. 무지개마을 입구라고 생각한 곳이 노란민들레숲이었으니 허무할 수밖에 없었다. 무지큰발과 빠른발은 어딘지 알지 못한다. 태니는 결심하고 바위틈으로 들어갔다.

"여긴 아니에요. 다시 돌아가세요. 막혀서 더 이상 갈 수 없어요."

태니는 거짓말을 했다. 선의의 거짓말이었다. 그들이 허무함을 느끼면 희망이 줄어들어 힘이 빠질 것이 염려되었다. 그건 태니 혼자로도 충분하다고 생각했다.

"어휴~ 배가 끼여서 힘들어 죽는 줄 알았는데~ 빨리 좀 알려주지 그랬어."

무지큰발이 투덜거리며 반대편으로 고개를 돌렸다. 그리고는 바위틈을 비비고 들어갔다. 그 뒤에 있던 빠른발 역시 투덜거리긴 했지만 무지큰발보다 덩치가 작아 바위틈에 끼지는 않았다. 동굴 탐사대는 왔던 길을 더듬어 돌아오지않는메아리의 동굴 입구로 돌아왔다.

"여기에 무지큰발 아저씨가 오줌을 누면 돼요. 여긴 꼭 기억해 둬야할 것 같아요."

태니가 말했다.

"그런데 태니야. 이상하게 먹은 것도 없는데 나는 왜 똥이 마려운 거지? 여기에 똥을 눠도 될까? 히히~"

무지큰발이 미안한 듯 말했다.

뭐 어때요? 아니! 아저씨 똥이면 다른 것하고 헷갈릴 일은 없겠네요. 그냥 시원하게 똥 누세요."

태니는 차라리 잘 됐다 싶었다. 그리고는 잠시 고민에 빠졌다.

'돌아오지않는메아리에서 아까 그곳은 해가 뜨는 방향이니까 아마 우리 숲의 동물들은 거기서 멀지 않은 곳으로 지나가게 될 거야. 음~ 아마도 이틀 후에는 지나가게 되지 않을까?'

태니는 출구를 찾은 후 숲의 동물들을 그 바위틈을 통해 동굴로 들어오게 하면 더 쉽고 안전하게 숲을 탈출할 수 있을 거란 생각이 들었다.

'이제는 오른쪽에 벽을 두고 나오는 입구를 찾아 들어가야겠지? 그런데 분명히 어제 우리가 들어온 입구와 똑같이 생긴 입구 바로 다음 입구였는데 이상하다……'

태니는 아무리 생각해도 이해할 수가 없었다.

'일단 다시 가 보면 알겠지.'

무지큰발과 빠른발은 계획했던 대로 오른쪽 벽을 두고 가자는 말을 이해할 수 없다고 했지만 태니는 노란민들레숲은 자기가 제일 잘 안다면서 얼렁뚱땅 넘겨버렸다. 태니는 어제 나왔던 동굴 입구 앞에 가서야 이유를 알 수 있었다. 입구는 비슷하게 생겼지만 전혀 다른 곳이었던 것이다. 태니는 아무 말 없이 동굴 입구로 뛰어들었다. 첫 번째 갈림길에는 왼쪽으로 돌아가면서 태니가 오줌을 눴다. 오른쪽이 맞는 방향일 수도 있지만 태니는 왼쪽을 우선순위에 두기로 했다. 무지큰발과 빠른발은 이미 머릿속에서 동굴의 길이 엉망이 되어 뭐가 제대로 된 건지 방향감각을 잃었다. 그런 와중에 자신 있게 앞장서는 태니의 모습이 믿음직스러웠다. 태니는 쉬지 않고 뛰었다. 다시 두 번째 갈림길이 나타났다. 역시 왼쪽으로 뛰어갔다. 이번에도 앞이 막힌 곳이었다. 동굴 탐사대는 힘이 빠졌다. 다시 돌아오는 길에는 배가 고프기까지 했다. 모두들 정신력이 얼마나 중요한 것인지 새삼스럽게 느끼고 있었다. 먼저번 만났던 갈림길이 나왔다. 역시 셋은 흙 무더기를 만들고 다른 길로 향했다. 짧은 구간에 다시 세 번째 갈림길이 나타났다.

킁킁! 킁킁! 무지큰발은 다시 냄새를 맡기 시작했다. 배가 고파서인지 후각이 더 예민해진 것 같았다.

"저기서 너희들 오줌 냄새가 나는데?"

무지큰발이 말했다.

"그럼~ 왼쪽은 아닌가 보네요!"

태니가 말했다. 빠른발도 같은 생각이었다.

"우리 이제는 좀 쉬었다 갈까요?"

태니는 체력이 많이 떨어진 상태였다. 쉬고 싶긴 했지만 무지큰발과 빠른발의 눈치가 보여서 쉬자는 말을 하기가 어려웠지만 이젠 그것도 역부족이었다.

"태니야! 내 등에 태워줄까? 아저씨는 아직 쌩쌩한데~"

무지큰발은 아직 어른이 되지 못한 어린 태니가 여기까지 앞장서서 온 것만 해도 장하다고 생각했다.

"그럼. 아저씨 잠깐만 부탁할게요."

태니는 너무 미안했지만 자기 때문에 시간을 허비할 수는 없었다.

"괜찮아. 태니 너 정도는 열 마리도 업고 다닐 수 있어. 조그만 녀석이라 말이지. 하지만 빠른발이 힘들다고 그랬으면 그냥 쉬자고 했을 거다. 일단 가자."

태니는 무지큰발의 등에 엎드렸다. 그리고 아주 조금 진입하자 다시 갈림길이 나타났다.

"태니! 어디로 가는 게 좋을까?"

무지큰발은 이미 태니에게 모든 결정을 맡긴 상황이었다. 하지만 이젠 태니도 더 이상은 자신이 없었다.

"이제는 저도 잘 모르겠어요."

태니는 솔직하게 말했다. 쿵쿵~ 이번에도 역시 무지큰발이었다.

"우와! 저기서 뭔가 먹을 수 있는 게 있을 것 같은 냄새가 나는데?"

무지큰발은 신이 난 듯 말했다.

"저는 음~ 바람이 불어오는 것 같아요. 아주 미세한 바람이요. 공기도 좀 다른 것 같아요."

빠른발도 뭔가 다른 것을 느끼는 것 같았다.

"그럼. 우리 왼쪽으로 가기로 해요. 바람이라면 입구와 연결된 것일 수도 있잖아요."

태니도 동의했다. 그런데 이번 통로는 여태 지나왔던 곳과는 다르게 자꾸 밑으로 내려가고 있었다. 게다가 습도가 점점 높아졌다. 동굴 벽에는 반짝거리는 돌들이 조금씩 빛을 내고 있었다. 점점 더 밑으로 내려갈수록 빛을 내는 돌멩이가 더 많아졌다. 한참을 내려가자 앞이 훤하게 뚫려 넓은 호수가 나타났다. 위에서는 물이 조금씩 떨어지기도 했다. 동굴 속 호수였다. 무지큰발은 태니를 내려 두고 미친 듯이 뛰어갔다. 태니는 무지큰발이 실성한 줄 알았다. 무심코 따라가려니 빠른발이 태니를 막았다.

"왜요?"

"응. 그냥 기다려봐. 나는 알 것 같아."

"그게 무슨 말이에요?"

"잠시면 될 것 같으니까 참아봐. 좋은 일이 있을 거야."

태니는 빠른발의 말을 이해할 수 없었다. 빠른발은 바닥에 편하게 엎드리고는 앞발을 다소곳하게 모아 머리를 발 위에 올렸다. 그런 상태로 기다리겠다는 것이었다. 하는 수 없이 태니 역시 빠른발처럼 자리에 엎드렸다.

"이얏~ 와우! 잡았다!"

무지큰발의 환호성이 동굴 속을 거칠게 울리자 빠른발과 태니가 자리에서 벌떡 일어났다. 태니는 이제야 빠른발이 막아 선 이유를 알 수 있었다. 무지큰발의 커다란 입에 어마어마하게 큰 송어가 물려 있었던 것이다. 태니나 빠른발은 무지큰발처럼 물고기를 잡는 기술이 없었다. 물고기 냄새를 맡았던 빠른발은 무지큰발이 물고기 사냥을 나선 것을 알고 있었던 것이다.

동굴 탐사대는 거의 삼일 만에 굶주린 배를 채울 수 있었다. 꿀맛 그 자체였다.

동굴 속 호수는 그리 깊지 않았지만 앞쪽 뭍과는 거리가 상당히 멀었다. 한참을 가야 하지만 도중에 깊은 곳을 만나면 온몸이 젖게 될 게 분명했다. 다른 계절 같으면 물이 두려울 리가 없었지만 지금은 제법 추운 계절이었다. 그러나 다른 선택권이 없었다. 키가 작은 태니는 무지큰발의 등에 업혀 호수를 건너기로 했다. 태니는 어쩌면 다시 돌아오지 못할지도 모른다는 두려움이 밀려들었다. 하늘이 도왔는지 호수를 거의 건널 때까지 동물들이 건너기 힘들 만큼 깊은 곳은 없었다. 대신 그들의 앞에는 환한 동굴의 입구가 멀리 보이고 있었다. 그들에게 빨리 오라고 손짓하는 듯했다. 동굴 탐사대는 젖 먹던 힘까지 짜내 뛰기 시작했다. 이번에도 역시 빠른발이 제일 빨랐다.

*

정말 고생들 많이 했죠? 믿음과 의리가 없었다면 아마도 마지막 입구를 찾아내지 못했을 거예요. 모두 각자가 가진 능력을 최대한 발휘했기 때문에 입구를 찾을 수 있었던 거예요. 태니는 영리하고 무지큰발 아저씨는 냄새를 잘 맡았죠. 무지큰발 아저씨는 물고기를 잡는 능력도 있고요. 빠른발은 시력이 좋고 빠른 달리기 솜씨로 동굴 속을 누비고 다닐 수 있었어요. 특히 태니의 기지가 아니었다면 돌아오지않는메아리에서 노란민들레숲으로 난 비밀통로를 만난 순간 모든 희망을 던져 버렸을지도 모를 일이었어요. 태니는 무지개마을 쪽으로 난 통로로 나가서야 진실을 알렸어요. 하지만 그들은 이내 실망하고 말았어요. 전설은 그저 전설이었던가 봐요. 그들이 밖으로 나갔을 땐 기대했던 무지개마을이 없었거든요. 거긴 그저 노란민들레숲 북쪽의 호수 건너편에 있는 조그만 섬이었던 거예요. 그런데 호수는 벌써 얼어붙어 있었고 멀리 노란민들레숲까지 연결되어 있었어요. 동굴 탐사대는 허무했어요. 고생 고생해서 찾은 곳이 그저 숲에서 얼어붙은 호수 위를 걸어서도 건널 수 있는 곳이었으니 말이에요. 하지만 숲으로 돌아가기 위해 호수 위를 걷다가 호수 가장자리는 꽁꽁 얼어 있었지만 깊은 곳은 아직 얼지 않았다는 걸 알게 됐어요. 동물들이 사냥꾼을 피해 숲의 북쪽 끝에 도착한다고 하더라도 얼지 않은 호수를 건널 수 없다는 새로운 걸림돌을 발견한 거죠. 결국 숲을 탈출하기 위해서는 비밀의 동굴을 이용하는 수밖에 없었어요. 그렇다면 결국 태니 의견대로 노란민들레숲으로 난 비밀의 통로를 이용하면 동물들이 안전하게 탈출할 수 있을 거라고 생각했어요. 정말 다행인 것은 입구 위쪽에서부터 북극성 방향으로 있는 호수는 거리가 짧을 거라는 결론에 다다랐어요. 깊이도 얕아 꽁꽁 얼어붙어 있다는 거였어요. 어렵지 않게 건널 수 있다는 거죠. 하늘이 도운 걸까요? 동굴 탐사대는 열심히 뛰었어요. 처음 올 때보다 훨씬 빠른 속도로 뛰었어요. 제일 힘든 구간은 노란민들레숲으로 난 비밀의 통로 끝에 있는 바위틈이었어요. 무지큰발 아저씨는 바위틈을 빠져나오면서 종일 투덜거렸어요.

"에휴~ 살을 빼던가 해야지~"

그런데 무지큰발 아저씨는 살이 쪄서 덩치가 큰 걸까요?

13화 – 진실게임 2

   동굴 탐사대가 동그란엉덩이 무리를 만난 건 비밀의 통로에서 빠져나온 후 반나절이 지나서였어요. 무리들이 밤이 되어 쉬던 중에 만나게 된 거죠. 그간의 상황을 알 리 없는 탐사대는 동물의 숫자가 줄어들고 힘이 센 동물들이 거의 다 사라진 것이 이상했어요. 덜컥 어떤 사고라도 난 것이 아닐까 하고 걱정했죠. 동그란엉덩이에게서 자초지종을 다 듣고 난 동굴 탐사대는 너무 안타까웠어요. 하지만 늑대들과 힘을 합해 사냥꾼들에게 대항하기로 한 동물들을 나쁘다고 말할 수는 없었어요. 그들도 살아남기 위해서 선택한 길이기에 그들의 선택을 존중해 주어야 하니까요. 동그란엉덩이를 따르던 동물들은 다음날 해가 뜰 무렵 비밀의 입구로 들어섰어요. 돌아오지않는메아리에는 초식동물들이 먹을 수 있는 게 많이 있었어요. 동굴 호수에는 물고기가 많아서 육식동물에게도 식량이 되어 주었어요. 동물들은 그다지 어려움 없이 무지개마을 방향으로 나갈 수 있었고요. 그런데 노란민들레숲 동물들의 모험은 그때부터 시작이었어요. 멋지고 아름다운 모험이죠. 물론 힘들고 괴로울 때도 있었지만…… 노란민들레숲의 동물들은 영원히 돌아오지 못할지도 모르는 숲을 보며 울었어요.

"안녕~ 우리의 고향아~"

그런데 저 멀리 얼어붙은 호수 위에 우리 숲 동물들의 모습이 보였어요. 호수 중간은 표면만 살짝 얼었을 뿐이라 아무리 가벼운 동물이라도 건널 수 없다는 걸 그들은 모르고 있는 것 같았어요. 얼마 지나지 않아 맨 앞에 가던 동물들이 물에 빠지는 것이 보였어요. 얼음 위 동물들은 기겁을 하며 숲 쪽으로 되돌아 도망가기 시작했어요. 숲 속에서는 천둥소리가 들려왔어요. 사냥꾼들이 그곳까지 추적해 왔던가 봐요. 그 모습을 지켜보던 동물들은 슬퍼서 눈물을 흘렸어요.

*

"아무래도 도와줘야겠어!"

동그란엉덩이는 조심스럽게 한마디 했다.

"네? 엄마. 그게 무슨 말이에요? 엄마를 버리고 까칠한흰수염을 따라간 저 녀석들을 왜 도와주겠다는 거예요. 엄마가 도와주겠다고 해도 우리를 버리고 떠났잖아요. 사냥꾼과 싸워서 이길 수 있다고 하면서 엄마를 겁쟁이라고 무시했잖아요."

손이는 까칠한흰수염이 동물들을 선동하던 모습을 떠올렸다. 동물들 사이로 동그란엉덩이가 호수 건너편의 동물들을 돕겠다고 하는 말이 금세 퍼져 나갔다. 동물들은 모두 그건 안될 말이라고 아우성이었다. 하지만 동그란엉덩이는 평생을 함께 살아온 친구들이 고통 속에 죽어 나가는 것을 보고만 있을 수는 없었다.

"여러분. 제 이야기를 들어주세요!"

동물들은 웅성거리다 말고 모두 동그란엉덩이에게 집중했다.

"누구에게나 실수해 본 경험들이 있지 않나요? 그렇잖아요. 저기 건너편 동물들은 우리 친구들이에요. 같은 숲에서 평생을 함께 살아왔던 이웃이며 가족이에요. 버리고 갈까요? 실수는 용서받을 수 있는 거잖아요. 저들에게 용서를 구할 기회를 줘야죠. 친구들을 구하고 싶지 않으세요? 저들은 비록 잘못된 선택을 하긴 했지만 우리가 힘들 땐 모두에게 힘이 되어 주었어요. 보세요. 여기 무지큰발과 빠른발은 다른 숲의 동물들이에요. 특히 빠른발의 경우, 우리 숲으로 도움을 요청하러 왔을 때 외면했던 동물들이 있었던 것 기억하세요? 지금 우리는 빠른발에게 엄청난 도움을 받고 있잖아요. 만약 빠른발이 우리를 용서하지 않았다면 우리가 오늘 이 자리에 있을 수 있을까요? 제 의견에 대해 어떻게 생각하세요? 그래도 저들을 도와주지 말자고 할 겁니까?"

동물들은 다시 웅성대기 시작했다.

"만약에 도와주지 않는 걸로 결정이 나더라도 너희들이 돌아가서 모두 데리고 와야 해! 할 수 있겠지?"

동그란엉덩이는 태니와 손이를 불러 작은 목소리로 말했다.

"네! 알겠어요, 저도 이제는 다른 동물들을 도와주어야 한다고 생각해요."

손이가 대답했다. 하지만 동그란엉덩이의 우려와는 달리 동물들은 도와주는 것으로 의견을 모았다. 동굴 탐사대로 떠났던 태니, 무지큰발, 빠른발 외에도 화들짝, 손이가 함께 구조대가 되어 떠났다. 구조대가 노란민들레숲으로 들어가고 얼마 지나지 않아 사냥꾼의 총소리가 들려왔다. 총소리로 보아 사냥꾼이 꽤 많은 것 같았다. 구조대는 온몸의 털이 곤두서는 것을 느낄 수 있었다. 호숫가 근처부터는 모두 기어가듯 바짝 자세를 낮추고 천천히 접근해 갔다. 예상했던 대로 사냥꾼이 수십 명은 되어 보였다. 사냥꾼 주변에는 태니와 손이가 알고 지냈던 동물들이 여기저기 쓰러져 있었다. 어떤 동물은 이미 죽어 있었고 어떤 동물은 피를 흘리며 죽어가고 있었다. 또 어떤 동물들은 자리에서 일어나 도망가기 위해서 끙끙거리고 있었지만 끝내 일어나지는 못했다. 사냥꾼이 총을 쏘았기 때문이다. 지옥이란 게 있다면 바로 그곳이었다. 아직 얼어붙은 호숫가에서 빠져나오지 못한 동물들이 많았다. 얼음판 위에 있는 동물들은 미끄러운 얼음 때문에 제대로 뛰지 못했다. 그나마 덩치가 큰 갈색곰은 얼음판 위에서도 제법 안정감이 있었지만 늑대 같은 동물들은 중심을 잡기도 힘들어 보였다.

"아저씨. 어떻게 할까요?"

보다 못한 손이는 무지큰발에게 물었다. 하지만 무지큰발에게도 딱

198

히 방법이 없었다.

"글쎄다. 막상 동물들을 돕겠다고 오긴 했지만 나도 어떻게 해야 할지 막막해."

"이렇게 하면 어떨까요? 저와 손이는 사냥꾼들의 주의를 끌겠어요. 아시겠지만 사냥꾼들은 은빛여우를 좋아해요."

태니는 손이를 바라보며 한마디 했다.

"형. 할 수 있겠지?"

"으…… 응! 그래! 해야지!"

손이는 사실 자신이 없었지만 태니의 의견에 따르기로 마음먹었다.

"빠른발 형은 숲 속에서 소리를 질러요. 제일 무섭고 큰 소리로 말이에요. 하지만 절대 사냥꾼에게 모습을 보이면 안 돼요. 손이 형하고 나는 몸집이 작아서 사냥꾼에게서 피하기가 쉽지만 빠른발 형은 덩치가 커서 금세 들킬 거예요. 무지큰발 아저씨도 덩치가 커서 잘 보이고 위험하니까 사냥꾼 근처로 가지 말고 통로까지 동물들을 안내해 주세요. 절대로 사냥꾼의 눈에 띄면 안 되니까 사냥꾼 냄새가 나면 다른 곳으로 유인해야 해요. 화들짝 형은 사냥꾼들이 총을 쏘거나 하지는 않으니까 동물들에게 숲으로 뛰어가라고 소리를 질러 줘요. 나머지는 손이 형과 내가 알아서 해 볼게요."

태니는 동물들을 구출하기 위한 계획을 알렸다.

살아있는 동물들은 대부분 구출되었다. 미처 소식을 듣지 못한 동물들은 어쩔 수 없었다. 동굴을 통해 섬으로 돌아온 동물들은 울음을 멈출 수 없었다. 우여곡절 끝에 노란민들레숲을 탈출하기는 했지만 가족과 친구들 그리고 평생을 살아왔던 고향집을 두고 떠나온 것이 가슴 아팠다. 다시 돌아갈 수 있을지 또한 기약이 없었다. 불과 호수 건너의 숲에 남겨둔 가족과 친구들이 죽었는지 살았는지 알 수도 없었다. 혹시 살아 있다 하더라도 사냥꾼의 눈을 피해 목숨을 건질 수 있을 것 같지도 않았다. 슬픔에 잠겨 있던 동물들 사이에 누군가 큰 목소리로 울부짖었다.

"이 녀석이에요. 이 녀석들이 우리 가족과 친구들을 죽게 만든 거예요."

살아남은 동물들은 간신히 살아남은 늑대들을 빙 둘러싸고 있었다. 당장이라도 잡아먹을 듯이 으르렁거렸다. 좀처럼 겁을 먹지 않는 늑대들이었지만 동물들의 험악한 분위기에 주눅이 들어 꼬리를 감아 내렸다. 눈치를 보던 늑대들은 한 마리의 늑대를 앞 쪽으로 밀어냈다. 그리곤 소리쳤다.

"이 놈이에요. 이 놈이 우리를 몰아붙였어요. 늑대가 숲을 지배할 수 있다고 말이에요. 자기가 숲의 왕이 되면 모두에게 한 자리 마련해 주겠다며 유혹했어요."

까칠한흰수염은 완전히 겁에 질려 있었다. 숲을 지배하고자 한때 의기투합했던 늑대들이 위기에 놓이자 배신을 한 것이다. 까칠한흰수염은 막막하여 울면서 말했다.

"여태까지 앞장서라면서 등을 떠밀던 건 너희들이었잖아! 어떻게 내게 이럴 수 있어?"

까칠한흰수염이 늑대들을 보며 으르렁거렸다.

"우리가 언제 그랬어? 다 너 혼자 계획한 일이잖아. 여러분! 우리는 까칠한흰수염이 시켜서 한 거예요. 그렇다고 우리가 잘했다는 건 아닙니다. 잘못은 했지만 용서해 주세요. 앞으로 동물들을 위해 봉사하고 노력하겠습니다."

동물들은 그래도 늑대들을 용서할 생각은 없었다.

"자~ 그러지 마시고요. 늑대들도 우리 노란민들레숲의 주민이었잖아요. 이 일은 이제 되돌릴 수 없어요. 지난 일을 들추어서 좋을 건 없다고 생각해요. 하지만 저도 누군가는 책임을 져야 할 것 같아요. 저는 까칠한흰수염을 우리 마을에서 추방하고자 합니다. 다시는 이런 일이 벌어지지 않았으면 좋겠어요. 다들 잘 판단해 주세요."

동그란엉덩이가 동물들에게 한마디 했다.

"그럴 수 없어요. 우린 저기서 죽을 뻔했어요. 늑대들 모두를 추방해야 해요."

"저는 아빠가 돌아가셨어요."

"내 아들도 죽었소."

"나는 가족이 모두 죽고 이제 혼자만 겨우 살아남았습니다."

"엄마의 가죽이 벗겨지는 걸 봤어요. 흑흑흑~"

"저는 아내가 죽는 모습을 지켜봤단 말입니다. 절대 늑대들을 용서할 수 없어요."

"내 아들은 다리에 총을 맞아 평생을 불구로 살아야 할지도 몰라요."

동물들은 대부분 소리쳤다. 모두 늑대들을 무리에서 추방하자고 아우성이었다. 동그란엉덩이는 동물들에게 조용히 하라며 소리쳤다. 화가 난 목소리였다.

"당신들~ 너무 하는 거 아니에요? 지난번 투표 때 당신들은 늑대들 편에 섰어요. 자발적으로 말이에요. 누가 등을 떠밀기라도 했었나요? 당신들은 힘없고 약한 동물들을 버리고 갔어요. '너희들은 싸울 줄도 모르니까. 겁쟁이들은 도망이나 치시지!'라고 말하던 동물도 있었던 기억이 나는군요. 기억나지 않는다고 하지는 않겠죠? 당신들이 버렸던 힘없고 약한 동물들은 호수 건너편에서 당신들이 사냥꾼에게 죽어가는 걸 두고 볼 수 없어서 결국 당신들을 구하기로 했어요. 그것도 만장일치로 말이죠. 그리고 어땠나요? 당신들을 구해서 이렇게 안전한 이곳까지 데리고 왔잖아요. 그런데도 당신들은 지금까지 당신들을 구해준 동물들에게 '고맙다'는 말 한마디라도 해 보셨나요? 당신들은 늑대들에게 아무 말할 자격이 없어요. 그래도 늑대들을 쫓아내자고, 책임을 지라고 할 건가요? 정말 그런 마음이 있다면 제 생각에는 모두 떠나세요. 저는 그런 생각을 하는 동물까지 이끌고 무지개마을로 가고 싶지는 않아요. 저로서는 지금 있는 동물만으로도 벅찹니다. 그리고 제 두 아들과 친구들을 더 이상 목숨을 거는 위험에 빠뜨리고 싶지 않네요."

동그란엉덩이의 말에 다들 할 말이 없었다. 동그란엉덩이의 말에는 틀린 것이 하나도 없었기 때문이다.

*

까칠한흰수염은 울면서 달아났어요. 멀리 사라져 버렸죠. 아마 생각지도 못한 배신을 당하고 나서는 같은 늑대들과 함께하고 싶지 않았을 거예요. 한 편으로는 늑대들에게 등 떠밀려 앞잡이 노릇을 하던 시절이 좋았을 거예요. 대장 노릇에 눈이 어두웠던 거죠. 늑대들은 까칠한흰수염을 허수아비로 세 워 두고 노란민들레숲을 지배하려고 했던 거였어요. 하지만 엄마는 그들이 앞으로는 정신 차리고 숲을 위해 힘을 쏠 거라고 믿어보기로 했어요. 그런데 말이죠, 우리가 호숫가에서 다투는 사이 사냥꾼들은 호수 건너편 숲에 엄청 나게 많은 동물들이 모여 있는 것을 보고 말았어요. 인간들은 우리보다 시력 이 좋지 않았지만 망원경이라는 이상한 물건으로 우리를 지켜보고 있었던 거 예요. 인간들에게는 이상한 물건이 정말 많은 것 같아요.

[퀴즈] 동굴 탐사대는 어디서 시작해서 어떤 길로 무지개마을 입구까지 갈 수 있었을까요? 지도를 잘 보고 길을 찾아보세요.

14화 - 바위산

우리는 북극성을 바라보며 계속 걸어갔어요. 동물들은 고향과 가족을 잃은 마음만큼이나 발걸음도 무거웠어요. 다들 너무 힘들어했어요. 우리 가족도 아빠 뾰족귀를 잃었기 때문에 가족을 상실한 슬픔을 알고 있어요. 물론 그들의 슬픔은 우리와는 많이 다를 것 같았어요. 만약 그들이 늑대들의 꾀에 빠지지 않고 계속 엄마의 주장을 따랐더라면 그런 슬픔은 없었겠죠. 하지만 이미 지나가 버린 일을 되돌릴 수 없다는 걸 모두 잘 알고 있었어요.

엄마는 오래된 기억을 더듬었어요. 아무리 생각해도 아빠 뾰족귀와 모험을 떠났던 길은 지금의 길과 전혀 달랐어요. 자신감 넘치던 엄마는 막막해지고 말았어요. 알 수 없는 미지의 세계를 찾아가는 길이 두렵지 않다면 거짓말이잖아요. 엄마는 알고 있었어요. 도중에 포기하면 모든 게 허사가 되어 버린다는 것을 말이죠. 지금까지 목숨이 오가는 힘든 고비를 여러 번 헤쳐왔던 엄마였지만 앞으로 또 어떤 일이 벌어질지, 또 어떤 사고가 날 지 고민하지 않을 수 없었어요. 고민한다고 해서 해결될 일은 없지만 말이죠. 아니나 다를까 우리의 길에는 생각지도 못한 장애물이 나타나고 말았어요.

*

살짝 얼어붙은 호수를 건너자 거대한 절벽이 눈앞에 펼쳐졌다. 여기부터는 노란민들레숲에 살던 어떤 동물도 가본 적이 없었다. 하물며 들어본 적도 없는 미지의 세계인 것이다. 앞에는 절벽, 뒤로는 호수였다. 어느 쪽을 선택하더라도 쉽지 않은 상황이었다. 어쩌면 운에 맡겨야 할지도 모른다. 숲을 빠져나오자마자 맞닥뜨린 절벽은 앞으로의 고난스러운 여정을 예고하고 있었다. 호수 건너 사냥꾼들이 언제 추적해 올지도 알 수 없었다.

"제가 절벽 위로 올라가서 길을 살펴볼게요. 아무래도 이런 길에 익숙한 저희들이 도움이 될 거예요."

절벽 타기로 유명한 산양들이 다가와 말했다. 딱히 대단한 능력이 없어서 평소엔 존재감이 없던 동물이었다.

"우리 산양들을 이끌고 저 위에서 길을 찾아볼게요."

산양들의 우두머리 격인 반짝이는뿔이 말했다. 동그란엉덩이는 힘없는 동물도 나름 각기의 장점이 있고 극한 상황에서 능력을 발휘할 수 있다는 사실에 거듭 놀라움을 감추지 못했다. 동그란엉덩이는 고마운 마음으로 산양들의 제안을 받아들였다. 다른 동물들이 안전하게 올라갈 수 있는 길도 찾아왔으면 좋겠다는 간절한 부탁과 함께였다. 그리곤 빠른발과 화들짝에게도 다음 임무를 부탁했다. 절벽 아래 양쪽으로도 탈출할 방법을 찾아볼 필요가 있기 때문이다. 빠른발과 화들짝은 원래 숲에서 태어나고 자란 동물은 아니었지만 숲의 동물들을 위해 봉사하려는 의지가 강했다. 게다가 달리기는 둘째가라면 서러울 최고의 선수들이었다. 동물들은 한시라도 빨리 사냥꾼들에게서 최대한 멀리 달아나야 했다. 동그란엉덩이는 세 방향의 정보를 모으면 좀 더 안전한 탈출로를 빨리 찾을 수 있을 거라고 생각했다. 그동안 다른 동물들은 휴식도 취하고, 먹을 것도 찾고, 또 어떤 동물들은 혀로 상처를 핥았다.

해가 기울어 가면서 절벽 아래 어둠이 짙어질 무렵 산양들이 절벽에서 내려왔다. 동그란엉덩이가 산양들에게 달려가는데 빠른발과 화들짝도 헐떡거리며 도착했다.

"해가 지는 쪽에는 사냥꾼 마을이 있어요. 다행히 제가 갔으니 망정이지 빠른발이 갔으면 큰일 날 뻔했어요."

해가 지는 쪽으로 달려갔던 화들짝이 이름처럼 화들짝 놀란 표정을 하며 소식을 전했다.

"해가 뜨는 방향엔 또 다른 절벽과 호수로 막혀 있어요. 호수는 끝도 보이지 않았어요. 호수는 해가 뜨는 방향으로 나 있어요. 북극성 방향으로 갈 수 있는 방법은 전혀 없었어요."

엄청난 달리기 속도를 가진 빠른발 역시 아직까지 숨을 몰아 쉬고 있었다. 꽤 멀리까지 다녀온 것 같았다. 전설에 의하면 무지개마을로 난 동굴 입구로 나가면 무지개마을로 갈 수 있다고 했다. 하지만 다들 막다른 길뿐이다. 화들짝이 다녀온 방향이 전설이 말하는 길일지도 모른다는 가능성은 있었다. 그렇지만 그 길로 가다가는 자칫 사냥꾼들에게 모두 죽임을 당할 게 뻔했다. 이제는 산양이 가져온 소식만 남았다.

"어때요?"

동그란엉덩이가 반짝이는뿔에게 물었다. 희망이 사라진 표정이었다.

"아직은 알 수 없어요. 제가 다녀온 지점까지는 별 문제가 없을 것 같았어요. 거기서부터는 발이 빠르고 체력이 좋은 녀석들을 보냈어요. 가급적 바위산 끝까지 다녀오라고 했어요. 녀석들은 체력이 좋으니까 새벽이면 돌아올 거예요. 일단은 기다려 보자고요. 어차피 밤에 움직이는 건 힘들 테니까."

기다리는 것 외에는 방법이 없다고 판단한 동그란엉덩이는 모든 동물들에게 새벽까지 쉬면서 기다리자고 했다. 정작 체력을 비축해야 한다던 동그란엉덩이 자신은 도통 잠을 잘 수가 없었다. 그저 불안하기만 했다.

반짝이는뿔이 말한 대로 해가 뜰 무렵이 되자 젊은 산양 네 마리가 가뿐한 발걸음으로 가파른 절벽을 뛰어 내려왔다. 산양들은 평지를 걷는 것보다 더 익숙하게 절벽을 뛰어다녔다. 산양들이 내려오는 걸 발견한 동물들은 무지개를 본 것처럼 넋을 놓고 그들을 바라보았다. 동물들은 처음으로 산양들의 능력에 감탄하고 있었다.

"길이 있어요! 좀 위험하긴 하지만 다른 동물들도 충분히 지나갈 수 있을 것 같아요."

산양들이 절벽을 내려오는 동안 떠날 준비를 마치고 기다리고 있던 동그란엉덩이와 동물들은 반짝이는뿔을 따라 걷기 시작했다. 산양들은 다른 동물들의 앞뒤에서 길잡이 역할을 했다. 동물들이 힘들어하는 구간에서는 산양들이 동물들의 엉덩이를 뿔로 밀어주었다. 발을 헛디뎌 떨어질 뻔한 아찔한 순간들도 있었지만 추락한 동물은 한 마리도 없었다. 모든 게 산양들 덕분이었다.

해가 거의 중천에 뜰 무렵이 되어서야 동물들은 낙오 한 마리 없이 절벽의 정상에 설 수 있었다. 절벽 위는 너른 평원 같았다. 높은 곳에 올라 보니 멀리 노란민들레숲이 한눈에 들어왔다. 엄청나게 크게만 느껴졌던 숲을 위에서 내려다보니 그리 크지 않아 보였다. 멀리 연기가 모락모락 피어나는 사냥꾼 마을도 보였다. 노란민들레숲 근처에 사냥꾼 마을이 새로 만들어지고 있었다. 만약 동물들이 탈출하지 않았다면 하루가 멀다 하고 사냥꾼을 피해 다녀야 할 상황이었다. 그러다 숲을 완전히 불태워 버렸을지도 모른다고 생각하니 아찔했다. 동물들은 너나 할 것 없이 한참을 그렇게 서 있었다.

"여기 이름을 『돌아올수없는절벽』 이라고 지으면 어떨까요?"

태니가 말했다.

"왜?"

동그란엉덩이가 태니를 품에 안으며 물었다.

"우리 숲으로 다시는 되돌아올 수 없을 것 같아서 그래요. 우리 고향이 영원히 없어지는 거잖아요."

"아냐. 고향은 사라지지 않아. 나중에 사냥꾼들이 모두 사라지고 나면 다시 돌아오게 될지도 모르잖아. 그리고 고향은 우리 마음속에, 기억 속에 그대로 남아 있는 걸~"

"네. 엄마. 그렇긴 해요."

"손이야. 태니야. 흔히 고향이란 태어나고 자란 곳을 말하는 것이긴 해. 하지만 새롭게 살아가는 곳이 고향보다 더 좋을 수도 있는 거야. 고향은 추억 속에 있는 거야. 추억 속으로 다시 돌아갈 순 없잖아."

"엄마! 그럼 혹시 무지개마을에도 사냥꾼이 쳐들어와서 또 어딘가로 이사를 가야만 한다면 무지개마을도 우리 고향이 되는 건가요?"

이번에는 손이가 물었다.

"손이야. 고향이라는 건 그저 단어에 불과한 거야. 너의 마음에 좋은 추억을 담고 있는 곳이 있다면 그곳이 바로 고향인 거야. 태어난 곳은 그저 태어나기만 한 곳일 뿐이야. 네 추억이 없다면 말이지. 그래서 결국엔 네 고향은 한 개도 될 수 있고 두 개, 세 개 아니 그 이상이 될 수도 있어. 네 추억이 있다면……"

동물들은 하루 종일 딱딱하고 울퉁불퉁한 바위 위를 걸었다. 가도

가도 끝이 없었다. 동물들은 가끔씩 뒤를 돌아보았다. 두고 온 집과 생사를 알 수 없는 가족들이 자꾸 눈에 밟혔다. 동물들의 대열은 끝이 보이지 않게 이어졌다. 동물들은 호수를 건너온 이후로 물 한 방울도 마시지 못해 갈증이 심했다. 다들 고통스러웠지만 살겠다는 의지가 버틸 수 있는 원동력이 되었다. 바위산에서의 첫 번째 밤은 세찬 찬바람을 그대로 맞으며 추위에 떨어야 했다. 연약한 어린 동물들은 배고픔에 울다 잠이 들었다. 동물들은 세찬 바람을 피해 서로 부둥켜안고 자야만 했다.

　다음 날 해가 뜨고 길을 나서자 곧 오르막길이 시작되었다. 잠깐의 오르막을 지나고 평지가 나올 무렵 그들의 눈앞에 넓은 숲이 나타났다. 조그만 옹달샘도 있었다. 동물들의 눈엔 절벽 위 아름다운 숲의 모습이 펼쳐졌다. 대부분의 동물들이 여정을 멈추고 자리를 잡고 싶다는 생각을 하고 있었지만 노란민들레숲의 동물들이 머물기엔 터무니없이 작은 숲이었다. 숲 속으로 들어서자 많지는 않지만 절벽 아래쪽 숲에 사는 동물들과는 영 다르게 생긴 동물들이 살고 있었다. 그곳 동물들 또한 신기한 듯 모여들었다. 사냥꾼 같은 존재도 모르는 걸로 봐서는 오랜 세월 외부와 단절된 곳이 분명했다. 동물들은 그 숲을 『숨은숲』이라고 불렀다. 예상했던 대로 숨은숲은 넓지 않아 얼마 걷지 않고도 지나칠 수 있었다. 숨은숲의 동물들은 노란민들레숲의 동물들이 지나가는 행렬을 끝까지 지켜보았다. 작은 옹달샘은 노란민들레숲의 동물들이 모두 마셔 바닥을 드러내고 말았다.

다음날 밤 역시 딱딱한 바위 위에서 자는 수밖에 없었다. 의외로 넓고 큰 바위산도 고생스러웠지만 끝을 가늠할 수 없는 기약 없는 여정이 동물들의 밤을 더욱 고단함으로 이끌고 있었다. 다만 이 여정이 얼마나 더 길어질지 걱정이었다.

삼 일째 오후 늦게 바위산의 끝이 보였다. 동물들은 젊은 산양들이 하룻밤 사이에 이곳까지 다녀왔다는 것이 놀라울 뿐이었다. 이제는 가파른 내리막길이었다. 내리막길은 오르막길보다 더 힘들고 더 위험했다. 불행한 일이지만 동물 몇 마리가 발을 헛디뎌 절벽 아래로 추락했다. 높이만 보아도 동물들의 생사를 짐작할 수 있었다. 공포와 불안으로 다들 벌벌 떨었다. 하지만 정신을 바짝 차리고 내려가야만 했다. 절벽 타기의 고수들인 산양들조차도 도와줄 수 없는 위험한 길이었다. 그렇게 높은 절벽은 아니었지만 모든 동물들이 절벽을 내려오기까지는 하루 종일 걸었던 것보다 오래 걸렸다. 먼저 내려온 동물들은 다른 동물들을 생각할 틈도 없이 주저앉아 버렸다. 다리가 후들거려 도와줄 수도 없고 정신도 혼미한 상황이었다. 힘이 세든 약하든 덩치가 크던 작던 모든 동물들이 힘들기는 마찬가지였다. 동물들은 절벽 아래에서 삼 일째 밤을 보내야만 했다. 역시 아무것도 먹지 못한 상태였지만 절벽을 내려오느라 혼미해진 정신 때문에 먹을 것을 찾아다닐 만한 기운도 없었다. 노란민들레숲을 떠나던 마지막 날보다 피곤하고 괴로운 날이었다. 모두 기절한 듯 잠이 들어 버렸다. 그날 밤엔 칭얼대는 어린 동물조차 없었다.

"태니! 손이~ 빨리 일어나! 어서!"

동그란엉덩이는 어린 두 아들을 흔들어 깨웠다.

"아이~ 엄마~ 조금만 더 자고 싶어요."

손이는 한쪽 눈만 뜨고 더 자겠다며 고집을 피웠다. 태니는 엄마의 말을 듣지 못한 척 코까지 골았다.

"어서 일어나. 엄마 좀 도와줘. 빨리~ 그렇지 않으면 엄마 혼자 갈 거야."

동그란엉덩이는 다시 한번 아이들을 다그쳤다. 그제야 태니와 손이는 두 발을 웅크려 눈을 비비고 일어났다.

"알았어요. 뭘 도와드리면 돼요?"

손이가 먼저 일어나서 나섰다.

"미안해 얘들아. 너희도 힘이 들겠지만 근처에 먹을 게 좀 있는지 찾아봐야겠어. 여기가 어딘지도 잘 모르겠고 말이야. 빠른발하고 화들짝은 벌써 저 앞에 있는 숲으로 들어갔어. 동물들을 찾아 물어보겠다고 말이야."

"우리도 형들에게 모두 맡겨 놓고 잠만 잘 수는 없죠. 그럼 저희는 어디로 갈까요?"

태니가 나섰다.

"그래~ 역시 내 아들들은 정말 멋진 녀석들이야. 너희 둘은 절벽을 왼쪽으로 끼고 가봐. 무지큰발 아저씨는 오른쪽으로 가시라고 할 거야."

"무지큰발 아저씨는 어디 있는데요?"

"잠꾸러기인지 아직 일어나지 않고 있어. 겨울이 되면 곰들은 잠이 많아지나 봐!"

"히히~ 그럼 무지큰발 아저씨가 꼴찌네요? 태니, 빨리 가자~ 엄마 다녀올 게요."

"그래~ 너무 멀리 가지 말아. 너무 멀면 동물들을 데리고 가기도 힘들어. 우리가 꼭 멀리까지 가야 한다면 무지큰발 아저씨 방향으로 움직여야 할 거야~"

"네. 알겠어요."

태니와 손이는 누가 먼저랄 것도 없이 후다다닥 소리를 내며 뛰어 갔다.

15화 – 한스의 추적

곧 해가 뜨려는지 하늘이 파랗게 변해가고 있다. 태니와 손이는 절벽에 가려 햇빛이 바로 비치지 않는 곳에 있었다. 하루 중 어느 지점인지 전혀 느낌이 없었다.

"손이형! 우리 이제 돌아가는 게 좋겠어. 아무래도 너무 멀리 온 것 같아."

태니가 말했다. 제법 멀리까지 왔지만 절벽 근처에는 먹을 수 있을 만한 것의 어떤 흔적도 찾을 수 없었다. 게다가 동물 한 마리조차 볼 수 없었다.

"잠깐만~ 킁킁~"

손이는 뭔가 냄새를 맡은 듯 코를 킁킁거리며 두리번거렸다. 손이는 태니보다 냄새를 잘 맡는 편이다. 그래서 태니는 손이의 코를 의심하지 않았다.

"형! 무슨 냄새야?"

"응? 글쎄~ 아마도 사냥꾼 같은데…… 왠지 익숙한 냄새가 나는 것 같아."

"형! 장난하지 마. 무섭단 말이야!"

"아냐! 정말 사냥꾼이 맞아! 이 근처에 있는 것 같아."

"정말이야? 그렇다면 큰일인데…… 우리와 멀지 않은 곳에 사냥꾼이 있다면 엄마가 있는 곳도 위험하잖아."

"그러게 말이야. 큰일이네~ 어쩌면 좋지?"

손이와 태니 둘 다 눈앞이 깜깜 해지는 기분이었다. 심각한 문제였다.

"형! 그러면~ 우리가 사냥꾼을 유인하는 게 어때?"

"그러다 잡히면 어쩌려고?"0

"만약에 우리 둘 중 한 마리만 잡혀야 한다면 그건 내가 할 테니까 형은 빨리 엄마에게 가서 알려! 내가 사냥꾼들을 반대 방향으로 유인하겠어. 그렇게 하지 않으면 우리 모두가 위험해져!"

"아니야! 그럼 내가 하는 게 낫겠어!"

"아니야. 내가 형보다 훨씬 빠르잖아. 형은 금세 잡혀버리고 말 거야. 난 사냥꾼을 유인해 본 경험도 있으니 내게 맡겨줘."

한참을 옥신각신하던 끝에 결국 태니의 의견에 따르기로 결정하고 행동으로 옮겼다. 둘은 조심조심 숨죽이며 사냥꾼의 냄새가 나는 곳을 향해 걸었다. 사냥꾼이 몇 명이나 되는지 알 수도 없는 상황에 기척을 들키게 된다면 모든 계획은 수포로 돌아갈지도 모를 일이었다. 다행히 사냥꾼은 멀지 않은 곳에 있는 듯했다. 태니와 손이는 수풀 뒤로 몸을 잔뜩 낮추었다. 다행히 사냥꾼은 혼자였다.

"형! 저 사냥꾼 어디서 본 것 같지 않아?"

거리가 멀지는 않았지만 사냥꾼이 등을 지고 있어 얼굴을 볼 수는 없었다. 사냥꾼 몸의 태가 꽤 익숙해 보였다.

"태니! 저 사냥꾼! 아무래도 한스 같지 않아? 아니, 한스가 분명해! 나는 정확하게 기억해. 절대 잊을 수 없어. 그래서 냄새도 기억이 났던 가 봐."

"형! 그렇다면 한스가 우리를 해치지는 않을 거 아냐?"

"아냐! 그건 알 수 없어! 그땐 그랬겠지만 이번에도 또 놓아준다는 법은 없잖아."

"하긴 그렇네~ 그럼 일단 형은 엄마에게 가서 이 사실을 알려줘. 근처에 사냥꾼들이 더 있을지도 모르니까. 동물들 모두 빨리 이동해야만 해."

"태니. 정말 조심해야 해! 여차하면 도망쳐. 다른 생각하지 말고. 알았지?"

손이는 태니의 얼굴을 뚫어지게 쳐다보았다. 무조건적인 명령이 깃든 표정이었다. 태니는 조심스럽게 고개를 끄덕여 보였다.

한스는 숲의 가장자리에서 모닥불을 쬐고 있었다. 이제 아침식사를 하려던 참인지 뭔가를 요리하고 있었다. 태니는 손이를 엄마에게 보내고 한스를 감시했다. 문제는 맛있는 음식 냄새가 태니의 코를 간지럽히기 시작했다는 것이다. 배가 고파서 죽을 지경이었던 태니에게 있어 한스의 음식 냄새는 도저히 참기 힘든 고문이었다. 태니는 자기도 모르게 입맛을 다셨다. 태니는 세차게 머리를 흔들었다. 지금은 배고픈 것에 정신이 팔려 있을 때가 아니라는 것을 상기했다. 그러나 무언가에 홀린 듯 점점 자기도 모르게 맛있는 냄새에 더욱 깊이 빠져들고 말았다. 태니의 입에는 침이 흥건하게 고였다. 입은 어느새 헤~ 하고 벌어져 있었다. 벌어진 입 사이에서는 침이 쭈우욱 늘어져 바닥에 닿았다. 바닥에 바짝 엎드린 태니는 한스를 감시하는 건지 음식을 감시하는 건지 모를 지경이었다. 입 주위 땅바닥은 벌써 축축했다.

"얘! 배고프니?"

음식인지 한스인지 정신이 팔려 있던 태니에게 누군가 말을 걸었다.

"야! 말 걸지 마! 에휴~ 정말 맛있어 보인다. 그렇지? 그리고 너도 조용히 말해야 돼. 들키면 큰일 나!"

태니는 한스의 요리에서 시선을 놓지 않은 채 말했다.

"너는 왜 여기서 이러고 있는 거야? 너 이름이 태니 맞지?"

누군가는 다시 또 말을 걸었다.

"거참! 조용히 하라니까. 나는 한스를 감시해야 돼!"

태니는 귀찮다는 듯이 대답했다.

"그래? 한스가 먹는 거야?"

누군가가 자꾸 질문을 했다.

"아이~ 정말~ 한스는 먹는 게 아니야. 저기 사냥꾼이 한스야. 먹는 거는 음~냐~ 정말 맛있어 보인다. 그렇지?"

태니는 다시 입맛을 다시며 말했다.

"그렇게 배가 고파?"

"응~ 어제부터 아무것도 못 먹었어. 정말 배고파~"

"그럼 조금만 나눠서 먹자고 그래. 쩨쩨하게 먹는 것 가지고 그래?"

"안돼. 들키면 큰일 나. 나를 죽일지도 몰라!"

"아니야! 저 인간은 나쁜 녀석이 아닌 걸. 그냥 가서 같이 먹자고 해 봐!"

누군가가 자꾸 말을 걸어왔다. 신경질이 난 태니는 결국 한 마디 쏘아붙였다.

"야! 너 저리 안가?"

태니는 그제야 자신이 알 수 없는 누군가와 대화를 하고 있었다는 것을 인지했다. 분명히 혼자 있었는데 말이다. 상황을 깨닫고 주변을 돌아보았지만 아무도 없었다.

'어? 대체 뭐지? 이상한 일이네…… 배가 고파서 그런가?'

태니는 배가 고파 헛소리가 들렸다고 생각했다. 다시 한번 머리를 세차게 흔들어 정신을 차린 태니는 다시 한스가 있는 곳을 보았다. 그런데 태니의 바로 눈앞에, 그것도 바로 앞에 한스가 보였다. 한쪽 무릎을

꿇어앉은 한스가 태니를 보며 미소 짓고 있었다. 한스 머리 위에는 인간과 비슷하게 생긴 조그만 여자 아이가 앉아 있었다. 새처럼 날개가 달려 있는 여자 아이였다. 태니는 숨이 멎는 것 같았다. 여태까지 지니고 있던 모든 용기가 송두리째 사라져 버린 것 같았다. 태니는 자리에서 일어나지도 못한 채 부들부들 떨고 있었다. 아무런 생각도 나지 않았다. 뇌가 멎어버린 것만 같았다.

"우리~ 두 번째 만났구나. 네 이름은 뭐니?"

한스가 말했다.

'어? 한스가 말을 하네? 내가 한스 말을 알아들었어! 어떻게 된 거지?'

태니는 영문을 알 수 없어 멍한 표정만 하고 있었다. 여자 아이는 답답한 듯 입을 다시더니 다시금 말문을 열었다.

"너~ 정말 겁쟁이구나? 한스가 네 이름이 뭐냐고 물어보잖아. 너희 둘은 이미 아는 사이라며~ 참! 나는 유리스야. 요정이지. 난 오래전에 네 엄마와 아빠도 만나봤었는데~"

태니는 여자아이가 요정이라는 동물이고 이름이 유리스라는 설명을 듣고도 정신을 차릴 수가 없었다.

"어? 어! 어……"

태니는 영문을 알 수 없어서 멍청해졌다. 대답도 제대로 할 수 없었다.

"너 알고 보니 바보구나? 너희 엄마 아빠는 제법 영리했었는데."

"아냐. 아냐. 너는 어떻게 우리 엄마 아빠를 안다는 거지?"

태니는 의아한 듯 묻는 와중에 엄마 아빠의 모험 이야기 속 요정의 숲 여행을 기억해냈다.

"혹시~"

태니는 말을 잇지 못했다.

"혹시라니? 네가 생각하는 그거 맞아~"

유리스는 태니의 마음속을 훤히 읽고 있는 듯이 말했다.

"내 생각을 다 읽고 있는 거야?"

"응~ 당연하지. 우리 요정은 그냥 다 알아."

"그런데 한스는 어떻게?"

태니는 한스와 유리스라는 요정이 함께 있는 이유가 궁금했다.

"응? 한스하고 내가 같이 있으니까 그렇게 이상한 거야? 한스는 착해. 아니 순수한 영혼을 가지고 있어. 가끔 그런 인간이 있어. 사냥꾼이라는 직업이 문제가 아니야. 영혼 자체가 순수한 거야. 한스는 너희를 돕고 싶어 해. 그래서 여기까지 왔고 우린 어제 처음 만나서 바로 친구가 됐어. 나와 함께 있으면 너는 한스와 함께 대화를 나눌 수 있어. 물론 모든 동물이 우리를 보거나 대화를 할 수 있는 건 아니야. 순수한 영혼을 가져야만 해."

유리스가 간단하게 설명했다.

"내 이름은 태니야! 엄마는 동그란엉덩이, 아빠는 뾰족귀, 형은 손이 그리고 우리 집은…… 우리는 무지개마을로 이사 가는 중이야. 그리고

223

나는 한스를 발견하고 감시하는 중이었어. 그렇지만 네 말에 따르면 나는 이제 한스를 감시할 필요가 없다는 것 같은데……"

태니가 한스를 보며 말했다.

"태니. 난 네 아빠와 목숨을 건 인연이 있었어. 뾰족귀가 나를 구해주지 않았다면 지금의 난 없을 거야……"

한스는 태니에게 뾰족귀와의 인연에 대해 자세히 설명하기 시작했다. 그리고 자신의 실수로 뾰족귀를 죽게 만들었고 결국, 뾰족귀의 은혜를 갚기 위해 사냥꾼이라는 직업을 버렸다며 지나온 이야기를 술술 풀어놨다. 그래서 지금은 늑대만 사냥한다고 했다.

"태니! 뾰족귀는 내 하나뿐인 친구였으니까 태니는 내 가족이나 마찬가지야. 너희들은 지금 사냥꾼들에게 쫓기고 있어. 아마~ 내일이면 사냥꾼들이 이곳에 도착하게 될 거야. 내가 너희를 도와 모두들 안전하게 도망갈 수 있도록 해 주겠어. 너희들이 건너편 숲에서 도망쳐 나와 섬으로 가는 걸 누군가 보게 됐어. 그리고 온통 소문이 나서 주변 마을의 사냥꾼들이 여기로 모여들고 있어. 수천 마리의 동물들을 한 번에 잡을 수 있다는 소문이 돌았거든. 내일이면 사냥꾼들이 수십 명 어쩌면 백 명 이상 몰려올 거야. 그들이 오면 동물들은 모두 죽게 될 거야."

"그렇다면…… 우린 어떻게 해야 돼? 나는 어떻게 해야 하고~ 내가 해야 할 일은 뭐야?"

태니는 애가 탔다. 이제 겨우 사냥꾼들의 추적에서 멀리 벗어났을 거라고 생각했었는데 고작 하루 이틀 차이의 거리로 추적당하고 있다

는 것이다. 사냥꾼들의 수가 어마어마하다는 이야기에 두려움이 몰려
왔다.

"사냥꾼들을 유인하려면 제법 많은 동물이 필요해. 사냥꾼들이 모두
다른 방향으로 돌아서면 더 이상 추적할 수 없을 거야. 적어도 50마리
이상은 있어야 많은 발자국을 만들어서 사냥꾼들을 유인할 수 있을 것
같아. 유리스는 너희들이 도망간 흔적을 지우는 걸 도와주기로 했어."

"그렇다면 동물들을 모아서 어디로 가면 되는 거야?"

"일단, 여기로 모아 오면 나하고 함께 움직여야 돼."

"그런데 동물들이 내 말을 믿어줄까?"

"내가 따라가도 되지만 그렇게 되면 오히려 동물들이 지레 겁을 먹
고 나를 믿지 않을 거야. 유리스도 돕고 싶다지만 과연 동물들이 어떤
반응을 할지 모르겠어."

한스의 말에 태니는 잠시 고민에 빠졌다. 태니가 입을 열려고 하자
유리스가 먼저 입을 열었다.

"알았어! 내가 같이 갔다 오면 돼. 동그란엉덩이가 우리 요정 이야기
를 해줬대. 동물들 중에 나를 볼 수 있는 녀석들이 제법 있을 거야. 그
럼 믿어주지 않을까? 그래~ 태니 생각대로 해보자! 아~ 그리고 한스!
이 꼬맹이 배가 고픈 것 같으니까 먹을 것 좀 줘봐. 얘 아까 보니까 너
무 불쌍해 보이더라."

유리스는 벌써 태니의 생각을 읽어버린 것이다.

"아냐. 나 혼자 먹을 순 없어. 아무도 밥을 못 먹어서 모두들 배가 고

플 텐데 나 혼자만 먹는 건 안돼. 그건 의리가 없는 짓이야."

태니는 의리를 지키고 싶기도 했고 한편으론 너무 배가 고파서 한스의 음식을 먹고 싶기도 했다.

"어머? 얘 좀 봐. 또 두 가지 생각을 하고 있네? 괜찮아. 그냥 먹고 가~ 그건 의리 지키는 것과는 별개의 문제야. 네가 힘이 나야 다른 동물들을 도울 수 있지 않겠어? 지금은 그렇게까지 급한 상황은 아니니까 염려 말고."

태니는 손이 형과 엄마가 걱정되었지만 유리스의 말 대로 한스가 만들어준 음식을 순식간에 먹어 치웠다. 처음 먹어보는 인간의 음식이었지만 기가 막히게 맛있는 음식이었다.

"손이형~

태니와 유리스는 동물들이 머물고 있던 곳으로 달려가던 중 태니 쪽으로 달려오는 손이의 모습을 발견했다. 손이 역시 태니와 유리스를 보고 큰 소리로 외쳤다.

"태니! 너 뒤에 조심해! 이상한 새가 있어!"

손이는 태니와 함께 날고 있던 유리스를 이상하게 생긴 새로 생각한 것이다. 태니는 놀란 표정의 손이에게 유리스와 한스에 대해 자세히 설명했다. 손이가 자초지종을 알고 있어야 태니가 동물들에게 설명하는 데 있어 도움을 줄 수 있을 거란 생각이었다. 손이에게도 유리스가 보이긴 했지만 동물들 중 유리스를 볼 수 있는 동물들이 과연 얼마나 될지는 장담할 수 없었다. 게다가 그들이 유리스의 말을 믿어줄 지도 의문이었다.

다행히 반대편으로 갔던 무지큰발은 동물들이 배를 채울 수 있는 곳을 찾아냈다. 놀라운 능력이 아닐 수 없었다. 그 덕에 모든 동물들이 든든하게 식사를 한 상태였다.

동그란엉덩이는 무지큰발과 함께 앞으로 어느 방향으로 가야 할지 의논하고 있었다. 태니는 그들에게 조심스럽게 다가갔다. 그들이 유리스를 보고 놀라지나 않을까 걱정했던 것이다. 유리스는 여전히 태니 머리 위에 앉아 있었지만 역시 우려했던 일이 벌어지고 말았다. 동그란엉덩이는 유리스를 보지 못했다. 그건 무지큰발도 마찬가지였다. 태니는 그들에게 대체 어떻게 이해시켜야 할지 고민했다.

"왜? 안 좋은 소식이라도 있어? 뭐라도 좀 먹었니? 배고파서 그래?"

동그란엉덩이는 태니가 이상한 표정을 하며 아무런 말도 하지 못한 채 서 있는 것을 보고 물었다.

"엄마! 여기 유리스가 보이지 않아요?"

"유리스? 내가 이야기해 줬던 그 요정 유리스 말이니?"

"지금 내 머리 위에 앉아 있는데……"

태니의 표정은 상당히 심란해 보였다.

"뭐? 요정이 네 머리 위에 있다고? 난 안 보이는데?"

동그란엉덩이는 난처한 표정을 지어 보였다.

"엄마! 내 눈에도 보여요. 그런데 엄마도, 무지큰발 아저씨도 유리스가 보이지 않는가 봐요."

이번에는 손이가 말했다.

"유리스가 그러는데요. 이제는 순수함을 잃었기 때문에 보이지 않는 거래요."

태니가 말했다. 그리고 다시 말을 이었다.

"유리스는 엄마하고 아빠를 만난 적이 있대요. 예전에 두 분이 이 요정의 숲에 왔었대요. 같이 식사도 했었대요."

"그렇다면 여기가 요정의 숲이라는 거니?"

동그란엉덩이는 매우 놀란 표정을 했다.

"네! 맞아요. 여기가 요정의 숲이에요. 엄마 아빠가 왔던 길을 드디어 찾은 거예요."

태니는 다시 신이 난 듯 말했다.

"그리고요. 중요한 건 그게 아니에요. 한스를 만났어요. 한스는 유리스와 함께 있었고요. 엉뚱하게도 한스는 유리스와도 대화를 할 수 있었어요. 유리스가 함께 있으면 한스와 저도 대화를 할 수 있어요. 그리고... 한스는 우릴 돕기 위해 여기로 왔다고 했어요."

태니는 한스에게서 들은 소식을 그대로 전했다.

"그래? 큰일 났네. 그렇다면 한스가 알려준 대로 해야겠지만 동물들이 우리말을 믿어줄까?"

무지큰발이 말했다.

"아저씨는 한스에 대해 잘 알잖아요."

손이가 말했다.

"물론 잘 알지. 한스는 내 생명을 구해 준 사냥꾼이니까. 그런데 다른 동물들 입장에서는 한스는 그저 무시무시한 사냥꾼일 뿐이야. 우리 이야기를 절대 믿지 않을 거야. 그리고 너랑 함께 온 유리스라는 요정을 우리는 볼 수도 없잖아. 만약 유리스가 다른 동물들에게도 보이지 않는다면 아무도 믿으려 하지 않을 거야."

무지큰발은 고민에 빠진 듯 답답하나 표정이었다.

"동물들 중에 분명히 유리스를 볼 수 있는 동물이 있을 거예요. 그렇다면 제 말을 믿어줄 거예요. 엄마. 동물들을 모아서 빨리 이야기를 해 보세요. 시간이 많지 않아요."

"여러분. 여기까지 오느라 정말 고생이 많았는데요. 태니가 방금 좋은 소식과 나쁜 소식을 가지고 돌아왔습니다. 지금 중대한 발표를 하고자 합니다. 우선 좋은 소식은…… 지금 우리가 있는 이곳은 제가 출발 전에 설명했던 그 요정의 숲이라는 사실입니다."

동그란엉덩이의 말에 동물들은 함성을 질렀다. 너무 기쁜 모양이었다. 동그란엉덩이와 뾰족귀가 오로라를 보기 위해 지났던 요정의 숲에 도착했다는 것은 길을 제대로 들었다는 것이었다.

"그리고, 나쁜 소식이 있습니다. 음~"

동그란엉덩이는 쉽게 말을 꺼내기가 어려웠다. 방금 전까지 기쁨에 환호하던 동물들에게 나쁜 소식을 전하기가 미안했다. 동물들은 긴장

속에서 두 귀를 쫑긋 세웠다.

"나쁜 소식은 사냥꾼들이 우리와 하루 이틀 거리에서 추적하고 있다
는 것이고 사냥꾼의 수가 백 명 이상이라고 합니다. 그래서······"

동그란엉덩이의 예상대로 동물들의 표정은 방금 전과 정반대로 바
뀐 상태였다. 고요했다. 들쥐들 조차도 찍 소리 내지 않았다.

"혹시 태니 머리 위에 앉은 이상한 새가 보이는 동물은 이리 나오세
요. 태니도 이리 나와라!"

동그란엉덩이는 태니를 자기 앞에 세웠다.

"자~ 보이는 동물 있나요?"

동그란엉덩이의 질문에 여기저기서 대답이 나왔다. 역시 기대했던
대로였다. 다행이었다.

"그럼 우리에게 있어 다시없을 선택을 하기 위해 한마디 하겠습니
다. 우리를 돕는 인간이 있습니다. 한스라는 인간입니다. 저와 제 두 아
들 그리고 무지큰발을 구해 준 적이 있는 인간입니다. 그래서 우리는
그를 믿을 수 있습니다. 한스가 사냥꾼들을 다른 곳으로 유인하고자 먼
저 이곳에 왔답니다. 그가 현재 이 근처에 있습니다. 지금 우리에게는
여러분의 믿음이 필요합니다. 태니 머리 위에 앉아 있는 유리스라는 요
정은 저도 예전에 만난 적이 있습니다. 그때는 제 눈으로 볼 수 있었는
데 지금은 유리스의 모습이 보이지 않습니다. 순수함을 잃어서 그렇다
고 합니다. 뭔가 큰 것을 잃었다는 생각에 허무하고 상실감이 들어 마
음이 정말 아프더군요. 하지만 저는 이제는 보이지 않는 저 요정을 믿

고 싶습니다. 제 잃어버린 순수함을 다시 찾을 수는 없겠지만 제가 가졌던 그 순수를, 그 순수했던 저를 믿고 싶습니다. 오십 마리 동물의 지원을 받겠습니다. 생명을 보장할 수는 없습니다. 이번에는 제가 앞장서겠습니다. 저도 더 이상 제 아이들을 위험한 일에 앞장서게 하고 싶지는 않군요. 알다시피 여러분이 지금 이 자리에 있기까지는 태니와 손이의 공로가 컸습니다. 이제는 제가 직접 해야 할 때인 것 같습니다. 힘세고 체력이 좋은 동물 오십 마리의 자발적인 지원을 받겠습니다."

동그란엉덩이의 연설이 끝나자 동물들은 웅성대기 시작했다. 무지큰발, 빠른발, 화들짝, 꼬리만한뭉치, 땜통, 사각턱이 제일 먼저 앞으로 나왔다. 몇몇 동물들은 망설이는 것이 보였다.

"우리가 그 한스라는 사냥꾼을 어떻게 믿습니까?"

어디선가 동물 한 마리가 소리쳤다.

"저는 제 목숨을 걸고 믿습니다. 이미 제 목숨을 한번 구해 준 적이 있는 그를 제가 믿지 못한다면 누구를 믿겠습니까?"

동그란엉덩이가 대답했다.

"그냥~ 함께 도망치면 안 될까요?"

다른 동물이 소리쳤다.

"지금 우리가 하려는 것은 사냥꾼들이 다른 곳으로 가게 만들고자 하는 것입니다. 거기에는 요정들이 도와주겠다고 합니다. 우리의 희생이 모두를 살릴 수 있습니다. 우리 오십 마리는 살아서 돌아오지 못할 수도 있습니다. 그런 각오를 해야 합니다.”

“오십 마리가 안되면 어쩔 겁니까?”

“그렇다면 제가 임의로 지목해서 강제로 끌고 가겠습니다. 그렇지만 자발적으로 함께 해줄 거라고 믿습니다. 스스로 나서지 않으면 우리 가족과 친구들은 모두 사냥꾼에게 죽임을 당하고 말 것입니다. 아직도 고민하는 이유가 무엇입니까? 모두 여기서 함께 죽기를 바라는 겁니까?”

동그란엉덩이는 거의 울다시피 동물들에게 호소했다. 목소리에는 힘이 가득 차 있었다. 처음 보는 엄마의 모습이었다. 손이와 태니는 엄마의 용기 있고 정열적인 모습이 아름다워 보였다. 연설이 끝나자 동물들이 하나 둘 앞으로 나서기 시작했다. 발걸음은 자신감이 넘치듯 성큼성큼 이었다. 벌써 순식간에 오십 마리가 넘어 버렸다.

“이제 그만 나와도 됩니다. 노란민들레숲의 용기 있는 동물들에게 진심으로 감사합니다. 무지큰발, 빠른발, 화들짝, 꼬리만한뭉치, 땜통, 사각턱은 여기서 남아 동물들을 이끌어 주세요. 지도자는 있어야 합니다.”

동그란엉덩이가 말했다. 그러자 무지큰발이 화를 내며 말했다.

“지도자 말이 나왔으니 하는 말인데. 동그란엉덩이는 여기서 모두를 이끌어야 해요. 차라리 제가 저들을 이끌겠습니다. 우리는 무지개마을로 가는 길도 알지 못해요. 그 길은 동그란엉덩이 당신밖에 몰라요. 우리더러 어떻게 길을 찾아가라는 겁니까?”

무지큰발이 한마디 하자 모든 동물들이 그의 말에 동의했다. 한참을 묘한 표정으로 고민하던 동그란엉덩이는 어쩔 수 없이 그의 말에 동의하고 말았다.

"그렇지만 무지큰발 아저씨는 유리스를 볼 수 없잖아요. 결국 한스와 대화도 불가능해요. 아무래도 제가 가는 게 맞는 것 같아요. 지금 이 일에는 제가 최고 적임자예요."

태니가 앞장서며 말했다.

*

태니는 정말 멋지고 용기 있는 녀석이에요. 그 누구도 태니의 말에 반론을 제기할 수가 없었어요. 태니의 말이 옳았거든요. 결국 태니는 오십 마리의 용감한 동물들을 이끌고 한스에게 갔어요. 한스를 만난 동물들은 한스를 보며 두려워했어요. 태니에게서 한스의 이야기를 전해 들고 난 후 동물들은 한스에 대한 두려움을 존경으로 바꾸고 말았어요. 곧 한스가 이끄는 동물들은 해가 지는 방향으로 뛰기 시작했어요. 유리스의 친구들은 엄마가 이끄는 동물들의 흔적을 마법으로 지워주었어요. 정말 힘든 작업이었대요. 요정들은 몸살이 나서 다들 몸져누웠다니까요. 우리를 도와주기 위해 애쓴 요정들에게 고맙다는 인사도 제대로 하지 못하고 떠나온 것이 너무 맘에 걸려요. 저도 언젠가는 엄마처럼 순수함을 잃고 다시는 그들을 볼 수 없게 될 것이 분명하니까요. 어른이 되면 왜 순수함이 사라지는 걸까요?

한스가 이끄는 동물들은 해가 지는 방향으로 삼일 밤낮을 뛰어갔어요. 일반적인 속도로 갔다면 열흘 이상을 가야만 하는 거리였어요. 게다가 한스가 예상했던 것보다 훨씬 더 많은 사냥꾼들이 쫓아왔어요. 거의 이백 명이 넘었대요. 시베리아에 언제 그렇게 많은 사냥꾼이 몰려든 것일까요? 해가 지는 방향으로 뛰어 어느 정도 흔적을 남긴 후 한스와 동물들은 인사를 하고 헤어졌어요. 한스는 사냥꾼 무리에 복귀한 뒤 동물들을 추적하지 못하게 훼방을 놓겠다고 했어요.

태니 일행은 동물들의 무리에 합류하기 위해 다시 뛰어갔어요. 설원 위를 먹지도 못한 채 달리기를 며칠, 거의 굶어 죽을 정도였을 때였어요. 그들은 인간의 도움을 한번 더 받게 되었어요. 몽골 종족의 인간들이었어요. 태니를 본 사람들의 표정엔 악의 하나 없이 너무 반가워했어요. 인간의 대장으로 보이는 한 늙은 남자는 태니에게 공손하게 인사까지 하고는 먹을 것을 잔뜩 가져다주었어요. 아마도 그들에게 은빛여우는 전설 속의 동물이라서 그랬던 걸 거예요. 태니 일행이 다시 무리를 만난 건 무려 칠일만이었어요. 그때는 『얼지않는연못』에 도착했을 무렵이었어요.

그나저나 우리 엄마 연설 어땠어요? 저는 그날 엄마를 다시 봤어요. 그렇게 강한 분인 줄 몰랐었어요. 노란민들레숲 동물들 모두 엄마를 존경하게 되었죠. 저는 그날 순수함이란 무엇일까. 그리고 엄마 말대로 순수함을 잃었다는 것이 왜 화가 나는 것인지 생각해 봤어요. 우리는 영원히 순수할 수는 없는 걸까요? 저는 엄마에게 물어봤어요. 왜 그렇게 화가 났는지 말이에요. 엄마는 나이를 먹은 게 섭섭하다고 했어요. 뭐~ 그게 전부라고 하셨지만 저는 그 한마디에 정말 많은 의미가 담겨 있다는 걸 아직은 잘 모르겠어요. 그건 제가 어른이 되면 자연스럽게 깨우칠 날이 있을 거래요. 지금은 이해할 수도 없겠지만 이해할 필요가 없는 거라고요. 그리고 무지큰발 아저씨가 그러시더군요. 저희는 그저 순수함 그 자체만으로도 완성되어 있는 것이래요. 굳이 일부러 어른이 되어 순수함을 잃을 필요가 없대요. 게다가 아저씨도 저희가 부럽다고 했어요. 요정을 만날 수 있는 그런 순수함을 가지고 있어서 말이에요.

16화 – 무지개마을

　　요정의 숲을 지나는 데 엄청나게 오랜 시간이 걸렸어요. 요정들이 우리 움직임과 호흡을 맞춰야 해서 흔적을 지우는 게 더욱 느릴 수밖에 없었죠. 높은 산이 많아서 그랬던 것도 있어요. 그런데 정말 이상한 게 있었어요. 엄마가 말했던 것처럼 요정의 숲에서 다른 동물을 만난 적이 없었다는 거예요. 그 큰 숲에 말이죠. 유리스에게 들으니 동물들은 요정들의 숲에 오래 머물면 알 수 없는 병에 걸려 죽게 된다더라고요. 특히 나이가 많은 동물들은 갑자기 죽어버리기도 한대요. 그래서 그랬던가 봐요. 노란여우 할아버지는 요정의 숲에 머문 지 삼 일째 되던 날 잠을 자다가 돌아가셨어요. 요정들은 아름다운 자리에 노란여우 할아버지를 묻어 주었어요. 동물들은 원래 죽은 동물을 땅에 묻지 않는데 요정들은 그렇게 하는 게 더 예의 있는 거라고 했어요. 우린 무지개마을을 보지도 못하고 잠들어버린 노란여우 할아버지가 불쌍했어요. 그래서 요정의 관습대로 땅 속에 묻어드리기로 했어요. 많은 동물들이 노란여우 할아버지를 위해 노래했어요. 편히 잠드시라고요. 요정들은 우리가 가는 길을 안내해 주었어요. 엄마 아빠가 지나갔던 그 길 그대로였어요. 엄마는 그 길이 조금씩 기억난다고 했어요. 요정의 숲은 정말 아름다운 곳이지만 이곳 역시 언젠가는 사냥꾼이 쳐들어오겠죠? 동물이 없다는 것을 알고 떠나기는 하겠지만 그들이 만약 요정들을 볼 수 있다면 요정들도 잡아갈까요? 그럴 수도 없겠지만 말이에요. 우리가 요정의 숲에서 마지막 밤을 보내던 날엔 요정들이 우리를 위해 노래를 불러 주었어요. 신기한 노래였는데 묘하게도 그 노래는 모든 동물들이 들을 수 있었어요. 정말 아름다운 노래였어요. 마법의 주문을 거는 노래였대요. 다만 그 효력이 있을지는 잘 모르겠다고 하더라고요. 너무 오랜만에 부르게 되어서 그런지 자신이 없었대요. 어떤 마법인가 물었더니 길을 찾는 눈을 갖게 해 달라고 숲의 기운을 가진 자에게 부르는 노래였대요. 그들의 노래처럼 무지개마을을 찾는 눈이 생겼으면 좋겠어요. 요정의 숲을 떠난 지 겨우 하루 만에 『얼지않는연못』에 도착했어요. 엄마가 말했던 것처럼 안개가 자욱했죠. 아무것도 보이지 않았어요. 김이 모락모락 나는 연못에 모두 풍덩 하고 몸을 던졌어요. 어른 아이 할 것 없이 신나게 놀았어요. 물이 너무 따듯했죠. 몸에 묻은 물을 털어내고 말리자 털에서 빛이 나는 것 같았어요. 다들 기분도 좋고 나른했는지 근처에서 기절한 것처럼 잠이 들었어요. 눈을 떴을 땐 태니 일행이 연못 안에서 조용히 목욕을 하고 있었어요. 모두들 환호성을 치며 그들이 무사하게 돌아온 것을 축하했어요. 저는 태니를 꼬옥 안아주었어요. 코며, 눈이며, 귀며 얼굴을 모두 핥아 주었어요. 엄마는 말할 것도 없었고요. 물론 다른 동물들도 가족의 품에서 기쁨에 겨워했어요. 얼지않는연못을 빠져나가는 데는 무려 삼일이나 걸렸어요. 지금까지의 여정 중에 가장 편안한 구간이었어요. 하루 종일 걷다가 지친 몸은 얼지않는연못 이 모두 개운하게 복구해 주었거든요. 물론 먹을 것도 지천에 깔려 있었죠. 즐거움을 준 가장 큰 이유는 사냥꾼의 위협으로부터 벗어났다는 거였어요. 마음이 편안하니까 모든 것이 새롭게 보이는 것 같았어요. 엄마의 기억에 의하 면 그다음에 우리가 만나게 될 곳은 『그림자숲』이었어요. 그런데 동물들 중 에 더 이상의 여행을 두려워하는 이상한 녀석들이 나타났어요. 엄마는 그림 자숲 때문에 고민하는 동물들이 있을 것 같다고 했어요. 입구를 통과하지 못 하게 되거나 영원히 그림자를 잃게 될까 걱정하는 것 같았어요.

*

"우리는 여기에서 헤어지는 게 나을 것 같네요."

늑대 무리들 중 하나가 말했다.

"왜요? 무슨 일이죠? 이제 거의 다 온 것 같은데, 왜 헤어지겠다는 거 죠? 같이 가요~ 그동안 함께 고생했잖아요!"

동그란엉덩이는 떠나려는 늑대들을 붙잡으며 만류했다. 하지만 늑 대들은 한사코 동그란엉덩이의 손길을 뿌리치고 반대방향으로 달아나 버렸다. 그들의 뒷모습이 왠지 서글프고 안타까워 보였다. 이제 다 왔 는데…… 동그란엉덩이는 오랜 친구를 잃은 것 같은 기분이 들었다. 그

녀는 이미 늑대들의 지난 실수를 모두 용서하고 그들의 마음을 이해해 주기로 했었지만 늑대들 스스로는 용서되지 않는 것 같았다. 그래도 늑대들은 스스로를 지켜낼 수 있는 능력과 용기를 가진 동물이라 크게 걱정할 필요는 없었다.

입구가 하나밖에 없다던 그림자숲의 입구까지 동그란엉덩이는 어렵지 않게 찾을 수 있었다. 자주 오던 곳처럼 익숙한 느낌마저 들었다. 동물들은 그림자숲을 들어서면서 서로의 그림자를 확인했다. 듣던 대로 그림자가 서로 다르게 생긴 걸 알 수 있었다. 어떤 동물은 그림자가 흐리고 또 어떤 동물은 그림자가 진했다. 특히 어린 동물들의 그림자는 거의 검은색이었고 나이가 많은 동물들의 그림자는 좀 더 흐렸다. 모두가 다 그런 것은 아니었다. 동그란엉덩이의 그림자는 검은색이었다. 노란민들레숲의 동물들을 발견한 그림자숲 동물들이 먼저 인사를 했다. 외부의 동물들이 찾아들자 우두머리에게까지 소식이 전달됐고 얼마 지나지 않아 그림자숲의 지도자인 『긴털호랑이』가 다가왔다. 동그란엉덩이는 노란민들레숲을 떠나오게 된 이유를 설명했다. 물론 그림자숲에도 사냥꾼들이 들이닥칠 수 있으니 조심하라고 일러주었다. 그러나 긴털호랑이는 사냥꾼들의 위험성에 대해 그다지 걱정스럽게 생각하지 않는 것 같았다. 자신감이 넘쳐 있었다. 동그란엉덩이는 고집이 센 긴털호랑이를 설득하는 것은 의미가 없다는 걸 느끼고 포기해 버렸다. 고마운 건 그림자숲의 동물들은 노란민들레숲의 동물들이 굶주린 배를 채우도록 협조해 주었다는 것이다. 인심이 좋은 숲이었다.

동굴을 빠져나온 뒤 17일째 되었을 때 비로소 그림자숲의 끝자락에 섰다. 그림자숲에서의 마지막 밤이었다. 숲을 나서면 또 긴 설원이 이어질 것이다. 다시 고통이 시작된다는 의미였다. 동그란엉덩이는 무지개마을의 근처에 도착했을 거라는 기대에 부풀어 오르고 있었다.

다음날 오전, 해가 뜨기 전 출발해 그림자숲에서 한참 왔는데 멀리서부터 눈보라가 몰려오고 있었다. 대충 봐도 꽤 큰 눈보라처럼 보였다. 동그란엉덩이는 뾰족귀와 함께 했던 3일간의 눈보라를 기억했다. 그땐 빈 나무 틈이라도 있었으니 살 수 있었지만 지금은 많은 동물들과 눈보라를 버틸 수 있을지 자신이 없었다. 동그란엉덩이는 동물들을 모두 모아 함께 웅크린 채 눈보라가 지나가길 기다렸다. 세차던 눈보라는 동물 무리 근처까지 오다가 눈발이 약해지며 위력이 줄어들었다. 불행 중 다행이었다. 시커멓던 구름과 눈발은 가늘게 내리다 이내 언제 그랬냐는 듯이 그쳐 버렸다. 대신 그들이 나아갈 방향은 온통 하얗게 변해 버렸다. 원래 하얀 시베리아 설원이 더욱 하얗게 변한 것이다. 이제 세상은 흰색과 파란 하늘색만 남았다. 바위도 하얗고, 얼음도 하얗고, 가끔 보이던 굵은 나뭇가지도 하얗다. 세상은 설원 위에 수평으로 선이 그어진 것처럼 보였다. 동그란엉덩이는 얼마 남지 않았을 거라고 느껴지는 무지개마을을 향해 하얀 눈밭에 발자국을 찍기 시작했다. 동물들 역시 희망에 찬 표정으로 걸었다. 발목까지 빠지는 눈이지만 폭신폭신한 게 그다지 나쁘지는 않았다.

17화 – 오로라의 시작

    눈길을 헤치고 나선 지 여섯 밤이 지났다. 동물들은 북극성만 보며 무작정 걸었다. 해는 점점 짧아졌고 이젠 밤이 훨씬 길어졌다. 가끔 크고 작은 숲을 만나긴 했지만 숲에 남은 동물들은 거의 없었다. 더 이상의 여행이 의미가 없다며 그런 숲으로 떨어져 나간 동물들만 해도 절반이 훌쩍 넘었다. 늑대 무리가 떠난 후 다른 동물들에게도 꽤 영향을 미쳤던 것 같았다. 춥고 배고픔에 지쳐 의지가 약해진 동물들은 무지개마을이 그저 환상일 거라는 생각에 포기하고 싶은 마음이 커져가고 있었다. 더군다나 무리를 이끌고 있는 동그란엉덩이 역시 무지개마을에 가본 적도 없고 정확한 위치조차 모른다는 사실 또한 포기하고픈 마음을 더욱 커지게 만들었다. 게다가 얼마 전 멀리서부터 거대한 눈보라가 몰려오는 걸 본 후론 많은 동물들이 새로운 숲을 만날 때마다 그곳에 보금자리를 트겠다며 무리에서 떨어져 나갔다. 이제 무지개마을을 찾아가겠다는 동물들은 기껏 천 마리도 남지 않았다. 어쩌면 남은 동물들 역시 머지않아 그 절반, 또 그 절반으로 계속 줄어들지 모를 일이었다. 폭풍이 다가오는 걸 발견한 다음날 거대한 눈보라는 빠르게 그들의 머리 위로 올라앉았다. 동그란엉덩이는 지난 악몽이 온몸을 휘감는 걸 느꼈다. 그땐 그래도 뾰족귀가 있었다는 생각이 들어 허탈하기만 했다. 슬프고 괴로웠다. 두 아들이 있었지만 외롭고 사랑의 추억이 그리웠다. 폭풍이 몰아치던 날 아주 좁은 통나무 속에는 사랑도 있었고 추억도 있었다. 그리고 희망도 있었다.

"엄마! 왜 울어요?"

놀란 태니가 물었다.

"힘들어서 그래요? 저희가 있잖아요. 힘내세요!"

동그란엉덩이는 자기도 모르게 눈물을 흘리고 있었고 영문을 알 수 없는 태니와 손이는 동그란엉덩이의 눈물에 가슴 속 깊이를 알 수 없는 아픔이 밀려왔다.

"아니야! 그냥 옛날 생각이 나서 그래."

동그란엉덩이는 자신을 걱정하는 두 아들을 보며 다시 힘을 내기로 했다.

'그래! 이제 뾰족귀는 곁에 없지만 내게는 귀중한 두 녀석이, 사랑스러운 우리의 두 아들이 있잖아. 약해지면 안 돼. 조금만 더 힘을 내자! 여보~ 우리에게 힘을 주세요!'

동그란엉덩이는 뾰족귀와 두 아들을 번갈아 생각하며 마음을 추슬렀다.

다행히 이번 폭풍은 하루 만에 지나가 버렸다. 눈은 제법 깊게 쌓였지만 걷기 힘들 정도는 아니었다.

그날 밤 시베리아의 벌판 위에는 오로라가 춤을 추기 시작했다. 빛이 비가 되어 내렸다. 비는 끊임없이 아름다운 춤을 추었다. 오로라는 무지개가 됐고 무지개는 다시 오로라가 됐다. 오로라는 온 세상에 거대한 빛의 장막을 거침없이 뿌려댔다. 햇살에 비친 호수 위에 하늘의 수많은 별들이 바닥에 흩뿌려지듯 빛이 하염없이 춤추고 있었다. 이제 기껏 오백여 마리 정도 남은 동물들은 너른 눈밭 위에서 빛과 함께 춤을 추기 시작했다. 모든 동물들이 하늘 위로 고개를 쳐들고 눈밭 위를 빙글빙글 돌았다.

깡충깡충, 펄쩍펄쩍 뛰기도 했다. 너무 돌아서 어지럼증이 느껴졌지만 동물들은 그것도 좋았다. 옆으로 쓰러져도 기분이 좋았다. 동물들의 파티는 한참이 지나도 끝나지 않았다. 그렇게 아름다운 광경을 마주하고서도 동그란엉덩이는 동물들과 춤을 출 수 없었다. 눈 위에 배를 깔고 엎드린 채 먼 하늘의 오로라의 춤을 멍하니 바라보았다. 어느새 뜨거운 눈물이 주르륵 흘렀다.

'무지개마을은 어디에 있는 걸까?'

동그란엉덩이는 사실 겁이 났다. 수 백의 동물들이 자신을 믿고 따르고 있었지만 어딘지 조차 알 수 없는 무지개마을을 찾아 가야만 하는 자신의 처지가 너무 힘들고 외로웠다. 이런 마음까지는 두 아들 태니와 손이도 이해할 수 없을 거라고 생각했다. 동그란엉덩이는 그렇지 않아도 어려운 모험을 하고 있는 두 아들에게 자신의 그런 심경을 알게 해서 걱정을 끼치고 싶지 않았다. 동그란엉덩이는 춤에 빠져있는 두 아들을 보았다. 착하고 용기 있는 두 녀석을 보니 해야 할 일은 다 해낸 것만 같았다. 은빛여우들은 어느 정도 나이가 차면 독립을 해야만 한다. 수천 년간 지켜져 온 관습이었다. 언젠가 태니와 손이를 품에서 떠나보내고 나면 동그란엉덩이 역시 외롭게 세상을 살아가야 한다. 그 시점이 머지않았음을 알고 있었다. 동그란엉덩이는 갑자기 자신을 떠나보내던 아빠의 표정을 기억해 냈다.

'그것이었구나. 그때 아빠의 마음이란~ 어쩌면 정말, 어쩌면 정말 이 곳이 무지개마을이 아닐까?'

동그란엉덩이는 혹시나 하는 생각마저 들었다. 그리고 눈을 감았다. 너무 피곤했다.

*

엄마는 오로라가 춤을 추던 날, 그렇게 우리 곁을 떠나 버렸어요. 엄마는 아무리 깨워도 일어나지 않았어요. 태니와 저는 오로라와 춤을 추느라 엄마가 떠나는 것을 지켜보지도 못했어요. 엄마의 영혼과도 작별인사를 하지 못했어요. 우린 오로라에게 엄마를 빼앗긴 거예요. 대신 그날 밤 엄마는 우리 꿈에 나타났어요. 작별인사를 하러 왔다고 했어요. 엄마는 오로라를 보며 행복해하는 우리 모습을 보고 방해하고 싶지 않으셨대요. 엄마는 갑자기 아빠가 너무 그리웠대요. 오로라를 본 순간 아빠에게 가고 싶었대요. 엄마는 우리가 이미 무지개마을에 들어와 있다고 했어요. 이제부터는 오로라가 시작되는 곳으로만 가면 된다고 했어요. 엄마는 우리의 마음에, 기억에, 추억에 고향처럼 남아 있겠다고 했어요. 엄마가 보고 싶거나 그리워질 때는 언제라도 기억에서 꺼내 보라고 했어요. 엄마는 기억 속에서 영원히 함께 할 수 있는 고향 같은 존재가 되었어요. 그리고 엄마는 우리에게 마지막 부탁을 했어요. 이제 여행이 얼마 남지 않았으니 엄마를 대신해서 노란민들레숲 동물들을 이끌어 달라고요. 태니 역시 저와 같은 꿈을 꿨대요. 엄마는 우리 둘의 꿈에 동시에 오셨던 거예요. 이제 엄마는 아빠와 함께 어느 때보다 행복하게 살고 계실 거예요.

18화 - 사냥꾼의 최후

엄마가 오로라를 타고 아빠 곁으로 가신 후 우리는 아무것도 먹지 못했어요. 이틀째 그저 걷기만 했어요. 저 멀리 숲이 보이긴 했지만 아무리 가도 가까워질 줄을 몰랐어요. 정말 징그럽게 멀었어요. 가도 가도 끝이 보이지 않는 벌판은 온통 눈과 얼음뿐이었어요. 푸른색이라고는 어디에도 보이지 않았죠. 여정이 길어질수록 여기저기서 불평불만이 늘어났어요. 게다가 믿고 따르던 엄마도 없으니 두려웠던 거예요. 다행히 무지큰발 아저씨가 동물들의 무리를 이끌었지만 아무래도 엄마만큼 의지가 되진 못했던 것 같았어요. 그래도 무지큰발 아저씨는 포기하지 않았어요. 정말 우직한 끈기 하나만큼은 최고라고 생각해요. 겉으로 내색하진 않으셨지만 무지큰발 아저씨의 마음이 그 무엇보다 무거웠을 거예요. 그러고 보니 지나는 길에 흰 털을 가진 곰 몇 마리와 은빛여우 비슷하게 생긴 희고 예쁜 털을 가진 여우를 만난 것 외에 다

249

른 동물들은 본 적이 없네요. 동물들이 살 수 없는 곳이란 생각에 점점 더 막막하기만 했어요. 앞으로 밤이 두 번 더 찾아올 때면 저 멀리 보이는 숲에 도착할 수 있지 않을까요?

*

"태니야, 손이야 힘들지? 업어줄까?"

무지큰발이 힘겨워하는 태니와 손이에게 말했다. 체력이 좋은 무지큰발이라 할지라도 힘들긴 마찬가지였지만 엄마를 오로라에 태워 보낸 두 녀석이 자꾸만 신경 쓰였던 것이다. 태니와 손이가 괜찮다며 고개를 가로젓는데 갑자기 무지큰발이 미끄러지며 쭈욱 엎어져 버렸다. 앞 발은 앞으로 뒷 발은 뒤로 벌어진 채로 납작하게 바닥에 붙어 버린 것이다.

"우하하하하~"

절대로 넘어지지 않을 것 같지 않았던 무지큰발의 모습에 태니와 손이는 물론이고 뒤를 따르던수백의 동물들이 깔깔거리며 웃었다. 무지큰발의 모습에 깔깔거리던 동물 몇 마리가 옆으로 넘어지기도 했다.

"얼음이네?"

태니가 무지큰발 뒷다리 부분을 보며 의아한 듯 말했다. 무지큰발이 미끄러지며 만들어진 자국 밑에 얼음이 드러나 보였던 것이다. 태니는 두 발로 눈을 걷어치우고 다시 확인해 보니 얼음이 분명했다.

"여기는 호수인 것 같아요."

태니가 말했다.

"정말! 호수가 얼어붙은 것 같은데?"

무지큰발 역시 두꺼운 다리를 움직여 눈을 옆으로 치워 보았다. 한 번 휘저었을 뿐임에도 엄청나게 많은 눈이 치워져 있었다. 그런데 무지큰발의 표정에 불안감이 드리웠다.

"얼음이 두껍지 않은 것 같은데. 조심해서 걸어야겠어. 동물들에게 서로 거리를 두고 걸어가라고 해. 얼음이 깨지면 주변의 모두가 호수에 빠져버리고 말 거야."

무지큰발은 얼음 호수에 대한 경험이 많은 편이었다. 얼음이 깨지면 얼마나 위험한 지 누구보다 잘 알고 있었다. 동물들 역시 노란민들레숲을 탈출하면서 얇은 얼음이 깨지며 동물들이 물에 빠져 죽는 모습을 본 적이 있어서 위험성에 대해서는 이미 잘 알고 있었다.

"얼음이 깨져서 빠지게 되면 다시는 올라올 수 없어. 그냥 물에 빠져 얼어 죽는 거야. 예전에 본 적들 있으니까 다들 명심해야 해. 그리고 안타깝지만 누군가 물에 빠졌더라도 절대 돕겠다는 생각을 하면 안 돼. 가능한 한 빨리 먼 곳까지 도망쳐야 해. 옆까지 같이 깨지는 날에는 다같이 죽는 거야."

무지큰발은 큰 소리로 말했다. 놀란 동물들은 순식간에 멀리 간격을 두고 떨어졌다. 그리고 다시 숲을 향해 나아갔다. 얼마 가지도 못했는데 호수 바닥에서 기이한 소리가 났다.

찌이이이이익~ 찌익~ 숨이 멎을 듯한 표정이 된 무지큰발이 갑자기 발걸음을 멈추었다.

'이제 더는 무리야.'

무지큰발은 한숨을 내쉬며 생각했다.

"태니, 손이 잘 들어!"

"네?"

앞서가던 태니와 손이가 무지큰발을 향해 뒤돌아 보았다.

"왜요?"

태니와 손이는 무지큰발의 표정이 예사롭지 않음을 느꼈다.

"아저씨!"

태니는 더 이상 말을 이을 수가 없었다. 불길한 생각이 들었기 때문이다.

"이제는 너희들끼리 가야겠다. 덩치가 큰 곰들은 이제 여기까지야. 얼음이 깨지려고 하고 있어."

무지큰발이 떨리는 목소리를 가까스로 진정시키며 말했다.

"아저씨!"

태니와 손이는 무지큰발과 헤어지기 싫었다.

"빠른발은 덩치는 크지만 가벼워서 괜찮을 거야. 대신 지금부터 쉬지 말고 뛰라고 해. 그럼 괜찮아. 다행히 얼지 않은 곳은 없어. 다만 현재 상태의 얼음 두께로는 내 몸무게를 버틸 수 없어. 지금 우리는 호수의 중간쯤에 있는 것 같아. 만약 여기서 물에 빠지면 영원히 만날 수 없어."

우지끈~ 뒤에서 얼음이 깨지는 소리가 났다. 모두들 소리가 나는 쪽으로 돌아보았다. 갈색곰 한 마리가 바닥의 얼음이 깨지며 호수에 빠져 버린 것이다. 간신히 머리를 내민 갈색곰은 주변의 얼음에 발톱을 세워 꽂았지만 자꾸 밀려날 뿐이었다. 갈색곰이 안간힘을 쓸수록 얼음은 더욱 금이 가고 깨져 가고 있었다. 갈색곰은 도와 달라는 소리도 하지 못한 채 얼음만 파헤치고 있었다. 그 모습을 목격한 동물들은 두려움에 떨었다.

"어차피 안돼. 도와주려고 하지 마! 주위에서 멀리 도망쳐! 그리고 갈색곰은 물론 다른 곰들도 뒤로 방향을 돌려야 해!"

무지큰발은 크게 소리 질렀다.

"아저씨! 저희는 이제 누굴 믿고 따라야 돼요? 아저씨마저 없으면 저희는. 저희는……"

태니는 당장이라도 눈물을 쏟아낼 표정이었다. 코 끝을 찡긋거리는 게 간신히 울음을 참고 있는 것을 알 수 있었다.

"얘들아! 너희들은 이제 어른이야. 너희 엄마 동그란엉덩이는 너희들이 이미 어른이라고 생각하셨기 때문에 마음을 놓고 너희 아빠 뾰족귀에게 갈 수 있었던 거야. 너희 엄마가 내 꿈에도 나타났었어. 너희들을 부탁한다고. 하지만 너희들에게는 더 이상 나의 보살핌이 의미가 없다는 것을 이미 알고 있었어. 너희들은 어른이 되는 중이야. 얘들아. 호수가 더 꽁꽁 얼면 나도 뒤따라 갈 거야. 먼저 건너가 있어. 무지개마을이 가까운 곳에 있어. 내 걱정은 하지 않아도 돼. 아저씨는 힘이 세잖아.

어서 가! 다른 동물들은 너희만 바라보고 있잖아. 힘 내고. 자~ 빨리 건너가! 무지개마을로 가야지.”

그렇게 말하는 무지큰발의 얼굴엔 약간의 공포와 걱정과 아쉬움이 함께 담겨 있었다. 태니와 손이는 가까스로 참았던 눈물을 흘리며 무지큰발과 곰들을 뒤로하고 조금씩 거리를 벌렸다. 멀리서 곰들이 포효하는 소리가 들려왔다.

“힘내! 꼭!”

무지개마을을 찾아가라는 응원의 소리였다.

태니 일행은 갈색곰들과 헤어지고 온전히 하루를 더 걸어서야 멀리 보이던 숲의 첫 번째 나무 앞에 발을 디딜 수 있었다. 그다지 크지 않은 나무였지만 그동안 만났던 숲과는 달리 잎이 뾰족하지 않았다. 노란 민들레숲의 동물들은 무지큰발과 곰들을 두고 온 게 너무 안타까웠다. 겨울 하루거리에 그들을 두고 올 수밖에 없는 현실이 안타까웠다. 숲으로 들어선 후 몇 시간을 더 걸어서야 동물들이 머무를 만한 곳이 나타났다. 잎이 무성한 숲 속에는 제법 먹을 것도 보였다. 동물들은 허겁지겁 허기진 배를 채웠고 배가 부르자 각자 적당한 곳을 찾아 배를 깔고 엎드렸다. 모두들 피곤함에 지쳐 자리를 잡자마자 코를 골며 골아떨어지고 말았다.

“형들. 미안해요. 힘들 텐데~”

빠른발은 화들짝과 함께 태니와 손이가 있는 곳으로 다가오자 손이가 말했다.

"아냐! 괜찮아. 난 배가 좀 고프긴 해도 힘들진 않았어. 게다가 지금은 든든히 먹고 나니 힘이 넘쳐나는걸."

화들짝이 말했다.

"다름이 아니고요. 아무래도 아직 마음을 놓으면 안 될 것 같아서요. 아직 무지개마을을 찾은 것도 아니잖아요. 그래서 말인데 형들에게 부탁을 좀 하려고 해요."

손이가 말했다.

"그래? 듣고 보니까 그렇네. 뭔가 좋은 생각이라도 있는 거야?"

"아니. 내 생각에는 여기서 무지개마을이 멀리 있지는 않을 것 같아요. 빠른발 형하고 화들짝 형은 여기서 북극성 방향으로 가서 무지개마을을 찾아줘요. 나는 다시 그림자숲으로 가볼게요. 혹시 사냥꾼들이 우리를 추적하는지 확인해야겠어요. 그리고 그림자숲 동물들이 사냥꾼에게 당한 것은 아닌지 걱정도 돼요. 그랬다면 우리 때문일 수도 있잖아요. 그리고 무지큰발 아저씨도 너무 걱정되고요."

손이는 태니를 앞으로 밀어내며 말을 이었다.

"태니는 여기서 우리 노란민들레숲 동물들을 지켜줘야 해!"

"안돼! 형. 그건 형이 할 일이야. 내가 가는 게 좋을 것 같아. 아무래도 길 찾는 건 형보다 내가 더 잘하고 나는 형보다 훨씬 빠르잖아. 냄새 맡는 것은 형이 더 잘하지만 사냥꾼을 만나게 되더라도 도망치는 건 내가 더 나을 거야."

태니가 일부러 손이의 기분을 자극했다.

"내 생각에도 태니 말이 맞다고 생각해. 손이 네가 여기서 동물들을 지켜주는 게 나을 것 같아. 태니야! 그런데 너 혼자서도 가능하겠어? 위험하지 않을까?"

빠른발이 말했다.

"형도 마찬가지지만 우리 은빛여우는 원래 혼자 잘 다녀요. 걱정하지 않아도 돼요. 우리 아빠도 항상 혼자 다니셨는걸요~"

"그럼 우리는 어떻게 할까?"

"아뇨. 형들은 따로 움직이지 말고 같이 가는 게 좋겠어요. 처음 가는 길인데 무슨 일이라도 생기면 어떻게 해요. 만약 무슨 일이 생기기라도 한다면 누군가 한 마리는 도움을 요청하러 와야 하잖아요."

"알았어. 손이 말이 맞는 것 같아."

태니가 얼어붙은 호수를 건너왔을 땐 무지큰발 일행은 이미 사라져 버리고 없었다. 게다가 지난밤 내린 눈으로 곰들의 발자국도, 어떤 흔적도 볼 수 없었다. 태니는 무지큰발을 만나면 그림자숲까지 같이 가려고 했지만 원래 계획했던 대로 혼자 떠나야 했다.

거의 사흘 밤낮을 뛰어서야 그림자숲이 보이기 시작했다. 하지만 그림자숲 곳곳에서 회색 연기가 모락모락 피어오르고 있었다. 다행히 산불은 아닌 것 같았다. 그러나 분명 그림자숲에 무슨 일이 생긴 것만 같은 느낌이 강하게 들었다. 태니는 온 힘을 다해 뛰었다. 그림자숲 근처에 도착할 무렵 태니는 인간의 냄새를 맡을 수 있었다. 한스가 만들어 주었던 음식과 비슷한 냄새도 났다. 사냥꾼들이 그림자숲까지 몰려온 것이 분명했다. 태니는 조심스럽게 숲으로 들어갔다. 직접 눈으로 확인해야만 했다. 그림자숲 동물들을 구할 수 있다면 뭐라도 해야만 했다. 그들이 원한다면 무지개마을로 데려갈 수도 있다.

"야!"

조심스럽게 한 발 한 발 내딛던 태니는 오른쪽에서 자신을 부르는 소리를 들었다. 아주 가까운 거리에서 억지로 매우 작게 소리를 낸 것이었다. 숲 속의 나무 사이를 살피던 태니는 목소리의 주인은 지난번에 만났던 긴털호랑이라는 것을 알 수 있었다.

"아저씨! 무슨 일이에요?"

태니가 물었다.

"큰일 났어. 사냥꾼들이 우리 숲에도 쳐들어 왔어. 그때 너희들 말을 들었어야 했는데……"

긴털호랑이는 얼마 안 된 사이에 꽤 수척해져 있었다.

"다른 동물들은요?"

"모두들 일단 깊은 숲 속으로 가서 숨어 있으라고 했어. 하지만 이미 많은 동물들이 잡혀갔어. 사냥꾼들은 너무 잔인하고 무서워. 그런데 너는 왜 다시 돌아온 거니?"

긴털호랑이가 물었다.

"혹시나 이런 일이 생겼을까 걱정이 돼서 왔는데 제가 한 발 늦었네요. 제가 일찍 왔다 하더라도 도움이 되지는 못했겠지만요."

"아니다! 이미 우리는 너희들 도움을 받은 거나 마찬가지야. 너희들의 조언을 듣고 미리 준비하지 않은 것이 문제였어. 이 모든 건 내 잘못이었어. 이제는 돌이킬 수 없지만 말이야."

긴털호랑이는 흐느끼듯 말했다. 기력이 빠진 듯 긴털호랑이는 머리를 바닥에 붙이고 몇 가닥 없는 수염을 흔들어댔다.

"자책하지 않으셔도 돼요. 사냥꾼은 우리가 감당하기엔 너무 무서운 존재예요. 제게 방법이 있어요. 아저씨는 숲 속 동물들이 모두 들을 수 있을 정도로 큰 소리를 낼 수 있으니까 한 곳으로 모이라고 소리쳐 주세요. 모두들 밤에만 이동하라고 알려주세요. 사냥꾼들은 눈이 좋지 않아서 밤에 이동하는 걸 두려워해요. 우리는 여기서 기다렸다가 동물들이 모이면 함께 북극성 방향으로 가야 해요."

그날 밤, 호랑이 울음소리가 숲 속을 채우자 그림자숲의 동물들은 약속이라도 한 듯 긴털호랑이가 있는 곳으로 모여들었다. 태니의 말대로 밤눈이 어두운 사냥꾼들은 전혀 움직이지 않았다. 사냥꾼들은 동물들이 한 자리에 모여있을 거라고는 상상도 하지 못했다. 사냥꾼들이 만든 공포의 그림자에 눌렸던 그림자숲의 동물들은 전설 속 무지개마을이지만 이미 지옥이 되어버린 자신들의 숲을 버리고 떠나는 데 동의했다.

"야! 태니!"

이번에 들린 목소리는 너무나도 익숙한 목소리였다. 태니의 머리 위였다. 헤어진 지 얼마 되지 않았지만 너무 반가웠다. 유리스는 태니의 머리 위에 사뿐사뿐 날갯짓을 하며 두둥실 떠 있었다.

"유리스~ 여기는 어쩐 일이야? 요정의 숲은 어쩌고?"

태니는 반가운 목소리로 물었다.

"네가 예상했던 것처럼 요정의 숲에는 동물이 살지 않아서 그런지 사냥꾼들이 들어왔다가 그냥 지나갔어. 그래서 나는 한스와 함께 여행을 하는 중이야. 한스는 너무 외로운 녀석이거든. 그 녀석은 친구가 나밖에 없대. 가족도 없고. 그래서 뭐~ 불쌍하기도 해서 같이 나왔지 뭐야. 그러다 여기서 네 목소리를 듣고 찾아왔지 뭐니."

"그럼 한스는 어디에 있는데?"

"좀 멀어."

"그런데 내 목소리를 어떻게 들었다는 거야?"

"네 진심의 목소리가 내게 들렸어. 슬퍼하는 목소리 말이야. 한스에게 가자! 한스가 이번에도 너를 도와주겠대!"

"어떻게 도와주겠다는 거야? 한스 혼자서 어떻게?"

"글쎄 말이야. 한스에게 좋은 생각이 있대!"

유리스는 옆에 없는 한스의 생각을 읽고 대변하는 것처럼 답했다. 태니는 그림자숲의 동물들에게 손이가 있는 숲의 위치를 알려주고 바로 출발하게 했다. 동물들이 모두 숲을 떠나는 것을 지켜본 태니는 유리스를 따라 뛰기 시작했다. 태니는 제발 이번이 마지막 모험이기를 기도했다.

'엄마! 부탁해요.'

갑자기 태니는 엄마를 기억했다. 배가 고프거나 한 건 아니었지만 사실 태니도 많이 지친 상태였다. 어릴 때부터 엄마 아빠에게서 들었던 신나는 모험이란 것도 실제로 겪어보니 무조건 신나기만 한 것은 아니었다. 힘든 건 과정이라 즐거웠던 모험의 결과에만 집착해서 그랬다는 걸 알 수 있었다. 아무튼 지금은 너무 힘들고 괴로웠다. 그저 마음 편한 숲에서 한참 동안 푹 쉬고 싶었다. 게다가 사냥꾼이 나타난 후론 세상의 숲이 너무 잔혹하게 보였고 살아있다는 것 자체가 너무 고통스러웠다. 몸이 힘든 것은 그래도 견딜만했지만 가까웠던 가족과 친구들이 하나 둘 세상을 떠날 때마다 심장이 터져 나가는 것만 같았다. 동물들이 태니 곁에서 한두 마리씩 사라져 갈수록 이 모험의 끝이 언제일지 짐작조차 할 수 없었다. 어쩌면 모든 동물들이 죽고 나서야 모험이 끝나게 되는 건 아닌가 싶었다.

"태니! 오느라 고생했어."

한스가 먼저 태니를 발견하고 인사했다. 헤어진 지 얼마 되지 않은 것 같았는데 한스의 얼굴에는 거친 수염이 덥수룩하게 자라 있었다. 볼은 꽤 야위어서 핼쑥했다.

"한스. 고마워. 계속 우리를 도와줘서 말이야. 그런데 한스도 꽤 힘이 드는가 봐. 얼굴에 살이 많이 빠진 것 같아 보여."

"괜찮아~ 한동안 수염을 깎지 않아서 그래 보이는 거야."

"그런데 좋은 방법이라는 게 뭐야?"

"일단 이 숲의 동물들은 모두 다른 곳으로 피신을 시키는 게 좋겠어."

"이미 여기 동물들은 손이가 있는 곳으로 가라고 했어."

"잘했어 태니! 난 사냥꾼들에게 거짓말을 할 거야. 너에게는 미안한 이야긴데 너희 은빛여우는 사냥꾼들이 제일 좋아하는 동물이야. 은빛여우 한 마리는 시베리아 호랑이 열 마리 이상의 값어치가 있거든. 밍크로는 거의 백 마리 이상이고, 그리고…… 점점 더 비싸지고 있어. 이제 거의 잡히지도 않거든. 다른 숲에 가도 은빛여우들을 만날 수가 없어. 그래서 말인데 네가 미끼가 되어야 할 것 같아. 그렇지 않고서는 사냥꾼들이 북쪽으로 가는 걸 포기하지 않을 거야. 이미 은빛여우 세 마리가 북쪽으로 가고 있고 그 무리가 수천 마리에 이른다는 소문이 퍼진 상황이야. 어지간해서는 그 동물들을 포기하려 들지 않을 거야. 나는 사냥꾼들에게 은빛여우 스무 마리가 해가 뜨는 방향으로 도망쳤다고 할 거야. 그쪽은 아직 사냥꾼들의 발길이 닿지 않았기 때문에 은빛여우들이 그쪽으로 도망쳤다고 하면 믿을 거야. 계획대로만 된다면 모두 그쪽으로 달려가겠지. 이번에 사냥꾼들은 썰매와 한 달 이상 먹을 수 있는 식량까지 만반의 준비를 해서 왔어. 그래서 이번만큼은 결코 너희들보다 속도가 느리지 않아. 잘 알겠지만 시베리안 허스키들은 썰매를 끌고도 굉장히 빨라."

"세 마리였던 은빛여우는 이제 두 마리가 됐어. 엄마는 얼마 전에 오로라를 타고 가셨어."

엄마 생각에 잠시 말을 잇지 못하던 태니가 다시 입을 열었다.

"그럼 내가 뭘 어떻게 해야 하지?"

"그랬구나…… 태니 너는 그림자숲의 해가 뜨는 방향의 절벽 밑에 서 있어. 사냥꾼들의 눈에 잘 띄어야 해. 태니는 거기 있다가 유리스가 뛰라고 하면 무조건 뛰다가 적당한 곳에 숨어 있어. 난 사냥꾼 중에 말하기 좋아하고 허풍이 센 녀석을 데리고 가서 네가 도망가는 모습을 보여줄 거야. 그리고 나는 은빛여우가 스무 마리 이상 뛰어가는 걸 봤다고 할 거야. 그럼 그 녀석은 못 봤다고 말하지 못하고 내 말보다 부풀려서 이야기할 수도 있어. 어쨌든 사냥꾼들에게는 그렇게 소문이 나겠지. 그럼 사냥꾼들은 모두 해가 뜨는 방향으로 뛰어갈 거야. 그게 내 계획이야. 밤이 되면 나는 사냥꾼들의 시베리안 허스키를 모두 풀어줄 거야. 그러면 사냥꾼들은 썰매를 이용할 수 없기 때문에 더 이상 추적을 하지 못하고 포기하게 될 거야. 어때? 내 생각이?"

한스의 계획은 정말 완벽해 보였다. 그렇게만 된다면 사냥꾼들은 더이상 노란민들레숲의 동물들을 괴롭히지 못할 것이었다.

"태니…… 그리고~"

한스는 뭔가 하고 싶은 말이 있는 것 같았다.

"그리고 뭐? 태니가 물었지만 한스는 그냥 됐다고만 했다. 유리스는 갑자기 뒤돌아 서서는 울기 시작했다.

"유리스는 왜 그래?"

태니가 물었지만 유리스 역시 대답이 없었다.

"아니~ 그냥 나중에 이야기해줄게~ 우리 일단 작전대로 하자."

한스는 부랴부랴 짐을 챙기기 시작했다.

"태니! 한스가 지금 뛰래!"

유리스는 벌처럼 빠른 속도로 날아오며 말했다. 멀리 보였지만 유리스의 목소리는 바로 옆에서 이야기하는 것처럼 선명하게 들렸다. 태니는 부리나케 뛰기 시작했다. 좁은 절벽을 끼고 열심히 뛰던 태니는 미리 봐 두었던 바위틈 사이로 쏙 들어가 숨었다.

"와우! 태니 정말 빠른데? 아무도 못 따라오겠다. 크크~"

태니는 유리스의 칭찬에 으쓱했다.

"뭘! 이 정도 가지고. 빠른발 형하고 화들짝 형은 나보다 훨씬 빨라. 손이 형보다는 내가 좀 더 빠르긴 하지만 말이야."

"나는 한스를 도와주러 갈 테니까 여기에 잠시 있어봐. 내가 다시 데리러 올게."

유리스는 태니에게 한숨 자 두라고 일러두고는 다시 벌처럼 빠른 속도로 날아가 버렸다. 태니는 바위틈 옆으로 누워 머리와 꼬리를 말아 안은 채 새록새록 잠이 들어버렸다. 태니의 곤히 자는 모습은 아직 아기 여우 같았다.

"엄마!"

태니의 엄마 동그란엉덩이는 예쁜 아기 은빛여우 태니를 꼭 안아주었다. 태니는 엄마의 품이 포근하고 좋았다.

"우리 태니. 엄마가 보고 싶었지?"

동그란엉덩이는 열심히 태니의 얼굴을 핥아 주었다.

"엄마! 엄마!"

태니는 아직 아기여서 다른 말을 할 수가 없다. 태니는 엄마에게 보고 싶었다고 사랑한다고 말하려 했지만 태니의 입에서 나오는 말은 그저 '엄마!' 소리뿐이었다.

하지만 동그란엉덩이는 태니의 마음을 모두 알고 있다는 듯 미소 지었다. 동그란엉덩이의 뒤에는 아빠 뾰족귀가 말없이 웃고만 있었다. 태니는 엄마와 아빠가 있어 너무 행복했다. '손이 형은 어디 갔지?' 태니는 손이 형의 행방이 궁금했지만 보이지 않았다.

"태니! 일어나! 빨리! 빨리!"

태니는 유리스의 다급한 목소리를 듣고서야 꿈을 꾸고 있었다는 것을 알 수 있었다.

"웅! 유리스. 왜 그래? 좋은 꿈 꾸고 있었는데~"

태니는 앞발로 눈을 비볐다. 어느샌가 눈물도 흘렸던 것 같다.

"태니! 이러고 있을 때가 아니야! 한스가 빨리 너를 데리고 오래. 한스가 할 말이 있는가 봐. 마지막이 될지도 몰라. 아니~ 마지막일 것 같아."

유리스는 눈물을 흘리며 말했다. 슬퍼 보였다.

"아니? 그게 무슨 소리야. 한스는 방금 간 거 아니었어?"

"이 바보야! 넌 여기서 벌써 하루 종일 잤단 말이야. 빨리 가야 해!"

유리스는 더 이상 설명해 주지 않고 앞장섰다. 태니는 한스에게 무슨 일이 생긴 것을 알 수 있었다. 멀리 썰매들이 보였다. 물론 시베리안 허스키들은 흔적도 없었다. 사냥꾼들 역시 보이지 않았다. 썰매는 거의 수십 대는 되어 보였다.

"저기야! 아직 숨을 쉬고 있다. 태니 어서!"

유리스의 말을 듣고서야 태니는 지금 상황을 어렴풋이 알 수 있을 것 같았다.

'한스가 죽어가고 있구나!'

태니는 다리에 힘이 풀리는 것을 느꼈다. 그리고 뛰어가던 속도 때문에 앞으로 두어 바퀴 데구루루 굴러버렸다.

"태니. 괜찮아?"

앞서가던 유리스가 다시 돌아와 물었다.

"아~ 괜찮아. 괜찮아……. 괜찮아……"

태니는 괜찮다고 말하면서 울어버렸다.

"태니?"

한스의 목소리가 조그맣게 들려왔다.

"한스! 나야!"

태니는 다시 일어나 한스에게 뛰었다. 한스는 배에 칼이 꽂힌 채 누워 있었다. 한스 주변에는 한스가 흘린 피로 빨갛게 물들어 있었다.

"태니! 미안해! 이런 모습을 보여서……"

한스는 헉헉거리며 힘겹게 말했다.

"괜찮아. 왜 이렇게 된 거야?"

태니는 한스의 거칠어진 얼굴을 핥았다. 한스의 눈물이 짭조름했다.

"태니! 그래도 임무는 완수했어. 이제 너희들은~ 이제 안전할 거야! 하하하~"

한스는 억지로 웃어 보였다. 한스는 태니가 그만 울었으면 했다.

"너에게 해 줄 말이 있었어. 난 이 말을 꼭 해 주고 싶었어. 내 의식이 살아 있을 때 말이야. 네 아빠 뾰족귀에게서 너희 은빛여우는 인간이 죽은 후 영혼을 만나서도 이야기를 들어줄 수 있다고 들었어. 내 이야기도 들어줄 수 있지?"

한스는 힘들게 헉헉거리며 말했다.

"응~ 알았어. 미안해. 우리 때문에 한스가 이렇게~"

"아냐. 미안해할 것 없어. 난 뾰족귀에게서 생명을 받았고 뾰족귀를 죽게 했어. 난 맹세했어. 꼭 은혜를 갚아야 한다고. 네 목에 있는 그 목걸이는 내가 소년이었을 때, 뾰족귀가 나를 구해 주었을 때. 그때, 내가 뾰족귀의 목에 걸어준 거야. 태니. 이제 그 목걸이를 다시 내게 돌려주지 않겠어? 사실 그건 우리 엄마가 내게 준 거야. 이제야 나는 아빠하고 엄마를 만나러 갈 수 있을 것 같아."

한스는 태니의 목에 손을 뻗쳤다. 태니는 목을 내어 주었다. 한스는 태니의 손에 목을 갖다 댔다. 한스는 태니의 목에 걸린 것을 빼서 손에 꼭 쥐었다. 그리곤 다시 입을 열었다. 이제 내 몸에 엄마가 준 목걸이와 아빠의 칼이 돌아왔어. 이제 난 엄마 아빠와 함께 있는 것 같아."

태니는 그제야 한스 배에 꽂힌 칼이 아빠의 칼이라는 것을 알 수 있었다.

"태니. 이제 내가 하는 말을 잘 들어줘. 내가 언젠가 이 말을 꼭 해 주고 싶었어. 내 이야기야. 네 아빠 뾰족귀와 내 첫 번째 만남. 그리고 두 번째이자 마지막 만남. 네 아빠는 우리 가족이 늑대들에게 죽게 되었을 때 나를 구해줬어……"

한스는 태니에게 더 이상의 말을 전하지 못한 채 그대로 영원히 잠들어 버렸다. 한스의 입술이 움직임을 멈추자 한스의 영혼이 한스의 잠든 몸을 빠져나왔다. 그리고 환하게 웃어주었다. 더없이 행복해 보였다. 한스의 영혼은 태니에게 나머지 이야기를 들려주었다. 그리고 마지막으로 한 마디를 남겼다.

"난 살면서 단 한 번도 행복한 적이 없었어. 늑대에게 복수하는 것만이 내 목표였고 그걸 실천해왔지. 그래서 내 별명은 『지옥에서 온 늑대사냥꾼』이었어. 하지만 늑대에게 복수를 해도, 아무리 많이 죽여도 나는 행복하지 않았어. 그런데 나는 너희들을 도우면서 드디어 행복이란 걸 알았어. 처음으로 행복했어. 그리고 더 이상 외롭지 않았어. 고마워 태니!"

한스의 영혼은 하늘로 사라져 버렸다. 태니는 벌떡 일어나 한스의 영혼이 사라진 하늘을 올려다보며 울었다.

오오오~ 오오오~

탕! 탕! 태니의 울음소리와 함께 멀지 않은 곳에서 두 발의 총소리가 들렸다. 그리고 태니는 그 자리에서 그대로 쓰러져 버렸다. 태니는 더 이상 숨을 쉬지 않았다. 유리스는 너무 놀라 절대로 써서는 안 되는 요정들의 금기 마법을 쓰고야 말았다. 한스와 태니의 몸을 손이의 옆으로 이동시켜버린 것이다. 유리스는 알고 있었다. 금기시된 마법을 쓰면 더 이상 요정의 숲으로 돌아갈 수 없다는 것을. 이제 유리스는 어쩔 수 없이 노란민들레숲의 식구가 되어야만 하는 것이다. 이제는 무지개마을의 식구가 된 것이다.

*

저는 유리스에게서 태니와 한스의 마지막 활약에 대해 들었어요. 태니는 정말 용감한 녀석이었어요. 멋진 녀석이었어요. 이제 저는 완전히 외톨이가 되어버린 것 같았어요. 저희 가족에 대한 비밀 하나를 알려 드릴게요. 저는 원래 엄마 아빠의 아들이 아니에요. 저희 친부모님께서는 제가 태어나자마자 돌아가셨어요. 이 사실은 나중에야 알게 된 사실이지만 말이에요. 엄마 아빠는 태니가 태어나기 전에 저를 데리고 숲으로 돌아오셨대요. 유리스의 말에 의하면 제 고향은 원래 이곳 무지개마을 이랍니다. 엄마 아빠는 단 한 번도 태니와 제가 형제가 아니란 걸 티 낸 적이 없으세요. 태니와 저는 역시 이 세상에서 둘도 없는 형제였고요. 태니가 정말 그립네요. 정말 멋진 내 동생. 유리스의 말로는 태니는 오로라의 일부가 되었대요. 요정들만 아는 사실인데 순수한 영혼들만이 오로라의 진실을 알고 있대요. 한스와 태니는 오로라가 나타날 때면 언제나 우리를 지켜보고 있다고 하더라고요.

19화 - 새 고향

오로라가 아홉 번째 밤이 되도록 지속되었다. 낮보다 밤이 한참 더 길다. 이 숲이 무지개마을이라는 것을 알게 된 것도 오로라가 끝도 없이 지속되던 어느 날이었다. 북극성을 따라갔던 빠른발과 화들짝은 동물의 신이라고 불리던 전설 속의 맘모스를 만날 수 있었다. 빠른발과 화들짝은 세상에 그렇게 큰 동물이 존재할 거라고는 상상한 적도 없었다. 그저 엄마의 엄마, 그 엄마의 엄마에게서 전해 내려오던 전설 속 거대한 동물이 있다고만 알고 있었을 뿐, 그렇게 클 거라고는 생각하지 못했던 것이다. 두려움에 벌벌 떨던 화들짝과 달리 용맹한 빠른발은 맘모스에게 다가가 무지개마을의 위치를 물었다. 놀랍게도 맘모스는 무지개마을의 존재를 알고 있었고 고맙게도 위치까지 알려줬다. 덩치가 산만한 맘모스는 의외로 친절한 동물이었다. 그때 알게 됐지만 노란민들

271

레숲의 동물들이 머물고 있는 곳이 다름 아닌 전설의 숲 무지개마을이었던 것이다. 그 사실을 알게 된 빠른발과 화들짝은 미친 듯이 달려 숲으로 돌아왔다. 황당하게도 모든 동물들이 그 숲에 정착하기로 결정하고 새로운 보금자리를 만들고 있었다. 행동이 빠른 동물들은 벌써 양지바른 은신처를 찾아 든든하고 따뜻한 집을 짓고 있었다. 영원히 살게 될 집을 정성 들여 짓고 있었다. 빠른발과 화들짝은 마주 보며 서로의 표정에서 새로운 행복을 찾고 있었다.

이제 이 숲이 집이자 고향이니까……

손이는 엄마가 해 주었던 말을 기억했다.

"고향이라는 건 그저 단어에 불과한 거야.

너의 마음에 좋은 추억을 담고 있는 곳이 있다면 그곳이 바로 고향인 거야.

태어난 곳은 그저 태어나기만 한 곳일 뿐이야.

네 추억이 없다면 말이지.

그래서 결국엔 네 고향은 한 개도 될 수 있고 두 개, 세 개 아니 그 이상이 될 수도 있어.

그곳에 너의 추억이 있다면……"

"태니야! 손이야!"

멀리 호수 너머에서 무지큰발의 목소리가 들려왔다. 손이와 동물들은 소리가 들려오는 쪽으로 달렸다. 이미 강을 반 이상 건넌 무지큰발의 뒤에 그림자숲에서 온 동물들이 줄지어 오는 게 보였다. 호수는 이미 꽁꽁 얼어붙어 곰들이 마구 뛰어도 깨지지 않을 만큼 단단해져 있었다. 그들 역시 새로운 고향으로 가는 중이다. 그들은 잘 모르고 있었지만 무지개마을은 오로라가 뜨는 날에만 보이는 숲이다. 마침 그날도 오로라가 하늘 위에서 춤을 추고 있었고 오로라 위에서는 태니가 지켜보고 있었다.

동물들은 태니를 추억했다. 새로운 고향 속에서⋯⋯

EPISODE

EPISODE 1

"개들은 원래 우리 친척이야. 그래서 우리와는 대화가 좀 되는 녀석들이지. 그 녀석들은 사냥꾼들에게 길들여져 인간과 친구가 되었지만 인간이라고 해서 다 좋아하지는 않아. 난폭한 인간들과 함께 사는 허스키들은 ─사실 그 허스키라는 이름도 인간이 지은 이름이긴 하지─ 인간에게서 도망쳐 나오고 싶어 해. 그래서 숲에는 인간에게서 도망쳐 나온 녀석들이 많아. 그들은 『탈출의 명수』로 불리고 있어. 도망치는 데는 선수들이지. 언젠가부터 인간들은 허스키에게 썰매를 끌게 만들었어. 언젠가 녀석들에게 들은 이야긴데 썰매를 끄는 게 힘들긴 하지만 실컷 달리는 게 묶여 있는 것보다 즐거워서 뛰는 거라더라고. 그런데 인간들이 너무 때려서 고통스럽다더군. 물론 그렇지 않은 인간도 있 긴 하다고 하던데……

황당한 건 그 인간들은 식량이 떨어지면 허스키를 죽이기도 했어. 제 일 힘이 약하거나 부상을 입은 녀석을 죽여서 남은 허스키들에게 먹였 지. 허스키들은 어쩔 수 없이 동료와 가족의 살점을 먹어야만 했어. 굶 어 죽는 것보다 나은 선택이었던 거야. 녀석들의 조상은 늑대였을 때도 동료들을 먹은 적이 없었는데 인간들은 허스키들을 그렇게 타락시켜 버린 거야. 탈출에 성공한 허스키들은 인간들이 들개라며 총으로 쏴 죽 이기도 했어. 허스키들은 우리처럼 위계질서가 있어. 대장 격인 허스키 는 인간에게 충성을 다하지. 하지만 인간을 위해서 그런 게 아니었어. 동료들을 인간에게서 구하기 위해, 보호하기 위해서는 어쩔 수 없었던 거야. 그래서 허스키들은 인간에게서 도망칠 기회만 호시탐탐 노리고 있지. 우리도 말이야, 인간이 던져 주는 음식을 받아먹는 늑대가 된다 면 그건 미개한 늑대의 문명이라고 생각해. 지금이야 어쨌든 허스키들 의 조상은 먹을 것과 자유를 바꿔버린 거나 마찬가지니까.

태니 옆에 꼭 붙어 다니던 화들짝이라는 녀석 기억나지? 그 녀석은 말이야, 다시 자유를 찾은 운 좋은 녀석이야. 헤어져서 아쉽긴 하지만 정말 괜찮은 친구였는데 말이야. 우리의 먼 친척이고…… 이럴 줄 알았 으면 친하게 지낼 걸 그랬어."

"대장! 그런데 우리는 왜 인간의 쓰레기통을 뒤지고 있는 거예요?"

"야 인마~ 우리는 그래도 자유는 있잖아! 넌 먹지 마! 이 자식아~"

EPISODE 2

"얘들아. 이번에는 저기 저 녀석들을 잡아먹는 거야! 저 녀석들이 동물의 가죽을 입고 있으면 우리가 사냥꾼인 줄 모를 줄 아는가 봐. 멍충아! 너 저 뒤로 가서 쟤들 뭐 하는지 감시하고 와!"

"네! 대장."

멍충이는 대답과 동시에 대장이 시킨 대로 인간들을 감시하고 돌아왔다.

"큰일입니다. 저 녀석들은 사냥꾼이 아닌 것 같아요. 정말 무서운 놈들이에요."

멍충이는 매우 놀란 표정으로 보고했다.

"왜? 뭔데?"

"직접 보셔야 합니다. 아무래도 늑대인간 같아요."

멍충이는 대장을 끌고 인간들이 보이는 절벽까지 다가갔다.

"으아악! 뭐야? 저 녀석이 왜 까칠한흰수염을 업고 있는 거야? 까칠한흰수염은 예전에 도망가더니 이제 사냥꾼에게 업혀 사는 거야?"

대장은 멍충이보다 더 멍청한 생각을 하고 있었다.

*

까칠한흰수염은 노란민들레숲 동물의 무리에서 이탈한 후에 한스에게 잡혀서 죽었습니다. 그리고 사냥꾼의 옷이 되었습니다. 속담에 동물은 죽어서 가죽을 남기고 사람은 죽어서 이름을 남긴다고 하는데……

까칠한흰수염은 가죽을 남긴 걸까요?

까칠한흰수염은 나쁜 짓만 일삼다가 인간들의 가죽 옷이 되어 버렸지만 과연 잘 된 일일까요?

에필로그

    제 동생 태니 이야기를 들어보니 어떠세요? 정말 멋진 녀석 맞죠? 새로운 고향으로 삼은 무지개마을에는 가끔씩 길을 잃은 동물이나 사냥꾼을 피해 찾아온 동물들이 있긴 했어요. 하지만 우리처럼 숲의 동물들이 모두 고향을 옮긴 경우는 없었어요. 이상하게 우리 마을은 사냥꾼들이 찾아온 적도 없었어요. 단 한 번도 말이죠. 무지개마을로 찾아온 동물들은 바깥세상에 대한 이야기를 들려줬어요. 사냥꾼들이 시베리아를 점령하면서 어떤 동물은 아예 멸종이 되어버리기도 했대요. 우리 은빛여우도 멸종했다는 소문이 돌았대요. 제가 이렇게 멀쩡하게 살아있는데도 말이죠. 정말 소문처럼 제가 죽고 나면 이 세상에는 정말로 은빛여우가 없어지는 걸까요? 그땐 정말 은빛여우는 멸종이겠죠. 우리 시베리아에는 이미 멸종된 동물들이 있어요. 그들은 모두 모피가 되어 인간의 옷이 되어 팔려갔어요. 이제는 더 이상 이런 비극이 생기지 않았으면 좋겠어요. 시베리아의 옛 고향 시비리 이야기를 끝까지 들어주셔서 감사합니다.

*

우연히 〈세상을 바꾼 다섯 가지 상품 이야기:홍익희 저〉라는 멋진 책을 읽게 되었습니다.

모피가 러시아의 재정을 상당 부분 차지했을 정도로 사냥꾼들이 시베리아의 동물들을 마구 죽였다는 글을 읽으면서 〈시비리〉 이야기를 쓰고자 하는 생각을 가지게 되었습니다.

당시 러시아의 사냥꾼들은 하루 100 평방킬로미터를 이동했다고 합니다. 시베리아의 동물들이 어느 정도로 죽어 나갔는지 누구도 상상할 수 없을 것입니다. 한때 러시아의 비버 가죽 수출액은 러시아 재정의 11%를 차지했을 정도였다고 합니다. 과연 그 누가 모피가 되어 버린 동물의 수를 헤아릴 수 있을까요? 그 책에는 모피코트 한 장을 만드는 데 엄청난 동물의 가죽이 필요하다고 쓰여 있었습니다.

- 수백 마리의 다람쥐
- 백 마리의 친칠라(털실쥐)
- 스무 마리의 여우
- 쉰 마리의 밍크

지금도 매년 8천만 ~ 1억 마리의 동물이 모피를 위해 죽임을 당한다고 합니다. 세상은 돈을 위해서 뭐든지 하고 있습니다. 이 순간에도 어디선가 수많은 동물들이 영문도 모른 채 학살당하고 있을 것입니다. 많은 환경단체들이 자연보호, 동물보호를 외치고 있습니다. 하지만 정작 무엇을 어디까지 알고 있을까요? 이런 식이라면 언젠가 아름다운 자연과 생태계는 우리의 먼 추억 속으로 사라져 버릴지도 모를 일입니다. 이렇게 망각속에 머물게 된다면 우리의 고향은 그저 추억 속에만 존재하게 될 날이 오게 될지도~

잠자는 땅 시비리

발 행 | 2024년 2월 22일
저 자 | 한유지
펴낸이 | 한건희
펴낸곳 | 주식회사 부크크
출판사등록 | 2014.07.15. (제2014-16호)
주 소 | 서울특별시 금천구 가산디지털1로 119 SK트윈타워 A동 305호
전 화 | 1670-8316
이메일 | info@bookk.co.kr

ISBN | 979-11-410-7337-4

www.bookk.co.kr